Disney

Alice attraverso lo specchio

Adattamento di
Kari Sutherland

Basato sulla sceneggiatura di
Linda Woolverton

Basato sui personaggi creati da
Lewis Carroll

Prodotto da
Joe Roth, Suzanne Todd & Jennifer Todd, Tim Burton

Regia di
James Bobin

Giunti

Progetto grafico di copertina: J-think - Milano

Traduzione: Anna Caterina Forastieri
Coordinamento editoriale: Antonella Sgarzi
Impaginazione: Compos 90 – Milano

Pubblicato da: Giunti Editore S.p.A.
Via Bolognese, 165 – 50139 – Firenze
Piazza Virgilio, 4 – 20123 – Milano

Stampato da: Lito Terrazzi
Stabilimento di Iolo

Prima edizione: aprile 2016

www. giunti.it

Disponibile anche in versione e-book

PROLOGO

1868, Stretto di Malacca

BUUM! BUUM! Nel cielo scuro e tempestoso esplosero dei colpi di cannone.

Con un urlo, il vento spinse il Wonder di poco lontano dall'incalzante fuoco dell'artiglieria nemica. Nel disperato tentativo di stringere le cime e mantenere a galla il vascello, i marinai corsero lungo il ponte ormai danneggiato.

La luna si affacciò dalle nubi e illuminò le tre grosse giunche malesi che avanzavano minacciose. Avevano vele rosse, svettanti come pinne di squali, dai loro alberi sventolavano orribili bandiere nere. Quei pirati non avrebbero avuto nessuna pietà.

Il vascello cavalcò la cresta di un'onda gigantesca, poi scivolò in un'ansa che risparmiò ai marinai la vista.

Ma lo spettacolo che si trovarono davanti non era migliore.

Di fronte al Wonder si ergeva un'isola circondata da alti scogli appuntiti.

Mentre le palle di cannone continuavano a fendere l'aria, il timoniere lottava con tutte le sue forze per mantenere la rotta. D'un tratto, fu investito da una pioggia di schegge e il cronometro andò in frantumi.

"Signore!" urlò il timoniere al primo ufficiale. "Ora non possiamo più calcolare la nostra posizione!"

Il primo ufficiale, in piedi sul ponte allagato, cercava di non perdere l'equilibrio. Scrutò le rocce appuntite e si sentì invadere dalla disperazione. Non c'era scampo: il Wonder era in trappola. Poi si voltò, una figura avanzava alle sue spalle.

"Capitano, arrendiamoci!" sentenziò il primo ufficiale.

Alice Kingsleigh emerse dall'ombra con aria severa. Non aveva faticato tanto e viaggiato così a lungo per poi perdere tutto. Non si sarebbe arresa a una ciurma di sudici pirati.

"Non sono certa che cedere il vascello di mio padre possa garantirci la sopravvivenza, Signor Phelps," disse con tranquillità.

Prologo

Alice controllò il sestante che aveva in mano, misurò l'angolazione della luna poi guardò con attenzione la barriera di scogli. Sussultò: aveva notato una cosa che al primo ufficiale era sfuggita.

"Avanti tutta! Spiegate le vele!" gridò.

Tutto l'equipaggio restò di stucco. La comandante era impazzita?

Phelps tentò di farla ragionare. "Capitano! Gli scogli... affonderemo! È impossibile!"

"Sapete bene cosa penso di quella parola, Signor Phelps!"

Tempo prima, suo padre le aveva insegnato che tutto era possibile e le mille avventure che Alice aveva vissuto gliene avevano dato conferma.

Il primo ufficiale annuì di malavoglia, poi impartì i nuovi ordini all'equipaggio. Tutti si affrettarono a spiegare le vele e il vascello sfrecciò in direzione della scogliera che circondava l'isola.

"A tutta dritta, Harper!" gridò Alice al timoniere.

"A dritta? Ma ci rovesceremo!" gridò Harper a sua volta.

"Esatto, Harper!" ribatté Alice con piglio sicuro.

Harper non aveva mai visto la comandante sbagliare, così, stringendo i denti, la assecondò.

Il Wonder urtò gli scogli e cominciò a inclinarsi.

Deve funzionare, pensò Alice. Il suo folle piano era la loro unica speranza. Ma nel calcolare la traiettoria, Alice si rese conto che quella manovra non era sufficiente.

Guardò in alto, un giovane marinaio tentava invano di spiegare la vela ingabbiata sull'albero maestro.

"Adesso si rolla! Imbragatevi, ragazzi!" raccomandò Alice correndo verso la fune collegata all'albero maestro. Si aggrappò saldamente alla corda, la tranciò di netto con la spada e venne sollevata in cima al Wonder. Lassù, Alice volteggiò come in una danza, poi recise le funi che imbrigliavano la vela. Quest'ultima si dispiegò con uno scatto.

Eccoci! pensò quando il Wonder s'inclinava su un fianco e l'albero maestro sfiorava le gelide acque dell'oceano. La chiglia raschiò il fondo sabbioso; poco dopo un'onda sollevò il vascello e lo spinse oltre la barriera di scogli, in acque più tranquille.

Con un balzo, Alice raggiunse le rande e le tagliò con la spada: il Wonder si raddrizzò.

Prologo

Alice si scostò i capelli bagnati dal viso, guardò a poppa e sorrise soddisfatta. Le imbarcazioni malesi erano andate a schiantarsi contro gli scogli. Ce l'aveva fatta. Aveva salvato il vascello, il carico e i marinai. Provò una piacevole sensazione di sollievo.

L'equipaggio le dedicò un caloroso applauso. Se non fosse stato per lei, sarebbero morti tutti. Phelps le si avvicinò e si inchinò, in segno d'ammirazione.

"L'unica via per ottenere l'impossibile è convincersi che sia possibile," gli disse Alice ripensando alle parole che soleva ripetere suo padre.

Pescò dalla tasca del mantello il suo amatissimo orologio e lesse l'incisione: *Stimato Charles Kingsleigh*. Se solo il padre fosse stato ancora al suo fianco...

Un improvviso scroscio di pioggia riportò Alice al presente.

Attraversò il ponte e appese l'orologio da taschino davanti al cronometro rotto.

"Sono sicura che questo saprà guidarci fino a casa..." disse. Non appena il suo equipaggio virò il Wonder verso Londra, Alice aggiunse tra sé, "... lo ha sempre fatto!"

I

Quattro mesi più tardi
Londra

IL WONDER SOLCÒ il Tamigi e raggiunse il cuore di Londra. Le fabbriche e i depositi sorvegliavano le rive come sentinelle, dal ponte del vascello si intuivano l'intreccio di viottoli e stradine tortuose che le circondavano.

Per non dimenticare nulla, Alice perlustrò un'ultima volta la sua cabina da comandante. Si mise in tasca l'orologio del padre, nonostante avesse smesso di funzionare una settimana prima. Da quando suo padre non c'era più, Alice portava l'orologio sempre con sé, quasi fosse un talismano.

Le lancette erano immobili, gelide, ma Alice riusciva comunque a sentire il calore del padre.

Lasciò la cabina e salì sul ponte per controllare le manovre di scarico al molo. Soddisfatta delle istruzioni che i suoi uomini impartivano ai portuali, rivolse la sua attenzione alla banchina.

Una figura minuta e snella, stretta in un mantello grigio, attirò il suo sguardo. Con un grido di gioia, Alice si precipitò giù dalla passerella.

"Mamma!" esclamò correndo.

Helen Kingsleigh contraccambiò l'abbraccio affettuoso di Alice con leggere pacche sulle spalle. Non era mai riuscita ad abituarsi alle manifestazioni entusiastiche della figlia minore, ma era felice che fosse tornata. Durante la sua assenza, non aveva fatto altro che preoccuparsi per lei, ogni giorno.

"Ebbene, eccoti finalmente," disse Helen scostandosi un poco.

Alice prese fiato, non vedeva l'ora di raccontarle le sue mirabolanti avventure.

Era pronta a cominciare un lungo resoconto di quell'ultimo viaggio, quando uno sconosciuto venne verso di loro.

Capitolo Uno

Era giovane e bello, aveva capelli biondi e ondulati, pettinati da un lato e sorprendenti occhi blu. Alice studiò i suoi abiti ordinati, poi notò il marchio posto sulla sua borsa. Capì allora che l'uomo lavorava per la sua stessa compagnia di trasporti, probabilmente si trovava lì per controllare il carico.

"Aspettavamo il Wonder da oltre un anno, Signorina Kingsleigh," osservò l'uomo.

Alice arrossì, si sentiva in colpa ma al contempo era indispettita: l'uomo non aveva usato l'appellativo di *Capitano* quando le aveva rivolto la parola. Non poteva accettare che in Inghilterra la considerassero soltanto una giovane donna in età da marito, mentre in ogni porto straniero era stata accolta con grande rispetto.

"Ci sono state... alcune complicazioni," replicò mettendosi quasi sull'attenti.

Era convinta che Lord Ascot sarebbe rimasto soddisfatto delle sue scoperte, nonostante il ritardo.

"Il valore delle merci che portate compenserà il tempo che abbiamo perso," osservò l'uomo che aveva notato l'espressione di Alice.

"Mi chiamo James Harcourt, sono un impiegato della compagnia per cui lavorate anche voi," aggiunse con una stretta di mano.

"Vorrei vedere Lord Ascot," puntualizzò Alice mentre James le scortava fino a una carrozza pubblica. Stava per accomodarsi, quando James le rivolse uno sguardo solenne. "Sono spiacente di dovervi comunicare che Lord Ascot è deceduto mentre eravate in navigazione."

Incredula, Alice guardò sua madre, che annuì tristemente. Chinò il capo, sconvolta per quella perdita. Lord Ascot era stato un uomo straordinario. Pochi altri uomini a capo di compagnie marittime avrebbero puntato su di lei. Ma non era stato solo un padrone generoso, per suo padre e per lei era stato un amico.

"Il titolo è passato al figlio," continuò James.

"Ad Hamish?" Alice riuscì a stento a nascondere il suo stupore.

"Adesso è anche presidente del consiglio d'amministrazione," dichiarò James.

Alice era scioccata. Non riusciva a immaginare facciamolle-Hamish a capo della compagnia che Lord Ascot aveva creato. Salì a bordo della carrozza rimuginando sulle notizie ricevute.

Era naturale che il titolo e le azioni della compagnia passassero ad Hamish, ma lui si era sempre dimostrato poco interessato agli affari e il padre aveva rinunciato a coinvolgerlo nelle sue imprese. Hamish, sembrava più preoccupato di non perdersi nemmeno una festa e di trovarsi una bella moglie da esibire come un trofeo.

Alice era felice di averlo respinto, avrebbero formato una coppia assai strana. Sperava solo che potessero collaborare. Forse con gli anni Hamish era diventato più maturo e non avrebbe intralciato i suoi piani: Alice aveva in mente di ampliare le rotte commerciali della compagnia.

Così, immersa nei suoi pensieri, non si accorse della farfalla azzurra che seguiva la carrozza.

Quando si fermarono davanti alla casa ove aveva trascorso la sua infanzia, Alice si sporse in avanti: la costruzione in mattoni rossi era rimasta immutata. Sua madre entrò e lei la seguì.

La porta d'ingresso si richiuse proprio poco prima che la farfalla azzurra potesse entrare. Sembrò sbattere contro il legno robusto prima di svolazzare alla finestra. Le sue ali ora picchiettavano contro il vetro.

Alice era in piedi, nell'atrio, un po' delusa. Mentre la facciata esterna era come la ricordava, all'interno l'atmosfera era diventata cupa, fredda, polverosa. I camini erano spenti.

"Dov'è Mary?" chiese Alice.

"Ho dovuto mandarla via, sono perfettamente in grado di badare alla casa da sola," rispose Helen.

Tentò di prendere la valigia di Alice per portarla nella sua stanza, ma la ragazza glielo impedì, non poteva permettere che sua madre le facesse da cameriera.

Alice si avviò in salotto a passo incerto, con l'intenzione di accendere il fuoco, ma appena entrata si bloccò. La metà dei mobili era sparita, compresi il grande divano rosso e la poltrona di velluto imbottita che aveva sempre amato. Non c'era traccia nemmeno del tavolo con la cassettiera.

Helen sorrise imbarazzata di fronte all'espressione

confusa di Alice, poi si diresse verso i locali del seminterrato.

"Qui fa meno freddo," osservò. Una volta entrata nella cucina di servizio, prese tazze e piattini dalla credenza e li dispose sul tavolo per il tè. Alice scorse nuove rughe sul volto della madre e qualche filo grigio tra i capelli.

La figura già snella di Helen appariva più sottile ora, le mani le tremavano lievemente mentre prendeva dal fuoco il bollitore che fischiava. Il tempo era stato inclemente con lei.

"Allora," disse Helen interrompendo il silenzio. "Mi hai scritto così di rado. Non so neppure dove sei stata per tutto questo tempo."

"Oh, mamma! Sono stata in Cina, dove ho acquistato centinaia di qualità diverse di tè!" Alice dimenticò le preoccupazioni per la madre e prese a raccontare con entusiasmo. "E poi ho preso sete dai colori mai visti. Ho conosciuto imperatori e mendicanti... santoni e pirati!"

Il sorriso era scomparso dal volto di Helen.

"Non hai mai avuto paura?" domandò preoccupata. Versò l'acqua bollente nella teiera.

"Quando ne ho avuta, ho pensato a papà," rispose Alice. Poi si sedette sulla sedia a dondolo vicino ai fornelli.

"Gli somigli tanto. Sarebbe così orgoglioso di te. Mia cara, gli anni passano in fretta, sai? Alla mia età ci si rende conto che il tempo è un padrone crudele."

Alice accarezzò il suo l'orologio. "E anche un ladro," mormorò tristemente. Il tempo non le era stato amico, le aveva portato via suo padre troppo presto. "Si porta via i migliori per primi."

Helen tornò a occuparsi del tè. "E tralascia la feccia," sospirò. Scosse la testa e prese un vassoio, cercando di scacciare i brutti pensieri.

"Ho sentito che gli Ascot stasera festeggiano la successione di Hamish," disse Helen sprofondando in una poltrona di fronte alla figlia.

"Perfetto. Dovremmo andare," commentò Alice. Non poteva capitarle occasione migliore, voleva discutere con Hamish di certi suoi progetti.

"Senza un invito?" chiese Helen perplessa.

"Una volta Lady Ascot disse che saremmo stati sempre i benvenuti," le rammentò Alice.

"Ma, cara..." protestò sua madre.

"Inoltre, ho una proposta da fare ad Hamish," riprese la ragazza.

Helen serrò le labbra. "Si è sposato l'anno scorso! Sembra sia riuscito a superare il tuo rifiuto, anche se penso che i trecento ospiti presenti se lo ricordino ancora..."

"Una proposta di lavoro, mamma!" precisò Alice con slancio incontenibile. "È ora di aprirsi al mondo intero, di considerarlo come un alleato, non come una cassaforte da svuotare! E quando ritornerò in Cina lo dimostrerò."

"Hai intenzione di ripartire subito?" Si avvolse nello scialle come se volesse trattenere la figlia a sé. "Sarebbe opportuno che ti occupassi di altre cose" proseguì, dopo aver ponderato ogni parola.

Alice rassicurò la madre con qualche lieve pacca sulle spalle. "Dopo il mio prossimo viaggio non dovrai più preoccuparti. Di niente."

"Devo preoccuparmi per stasera?" chiese Helen.

Per tutta risposta Alice le fece un sorrisetto, poi salì

al piano di sopra. Helen fremette, negli occhi della figlia aveva individuato uno strano scintillìo... Se la conosceva bene, qualunque cosa fosse successa quella sera, sarebbe stata a dir poco memorabile.

Alice portò il bagaglio nella sua stanza. Quando entrò, fu come fare un tuffo nel passato.

La sua bambola preferita era seduta sul letto, le sue conchiglie erano sparse sul tavolo. Nell'aria si sentiva ancora il profumo di mughetto della boccetta che aveva preso *in prestito* dalla sorella e rotto senza volere.

Lasciò cadere la valigia a terra e si avvicinò alla scrivania. Prese una tovaglietta che aveva ricamato quando aveva dodici anni. Il lavoro aveva richiesto tanto tempo, specie nella parte centrale. I punti formavano il motto preferito di suo padre: *Credi A Sei Cose Impossibili Prima Di Fare Colazione*. Con nostalgia fece scorrere i polpastrelli sul filo azzurro.

Poi trovò i disegni e gli acquerelli che aveva fatto per ricordarsi del Sottomondo. Sorrise, tra le sue mani quelle scene sembravano riprendere vita.

Rivide il giardino dei fiori parlanti e lo strano assortimento di creature che aveva incontrato: il Dodo, Mally il Ghiro, i gemelli Pinco Panco e Panco Pinco e, naturalmente, il Bianconiglio, che per due volte l'aveva portata nel Sottomondo.

In un altro disegno, i Pinchi l'accompagnavano nella Foresta dei funghi giganti per parlare con il saggio Brucaliffo. Volevano capire se Alice era effettivamente quella *Alice*. Era stato un argomento parecchio dibattuto. In un altro disegno, lo Stregatto attirò la sua attenzione con una strizzatina d'occhi. Quando scorse il foglio successivo, Alice rabbrividì.

Accovacciato su un cumulo di macerie che si sgretolavano sotto il suo peso, vide il drago Ciciarampa. Aveva ali nere spiegate e una lunga coda con cui sembrava frustare il cielo. Quel giorno Alice si era offerta di combattere per la Regina Bianca: per lei aveva affrontato e annientato quella bestia ripugnante.

Era stata la cosa più spaventosa che avesse mai fatto. Ma la sua convinzione che l'impossibile fosse possibile e la magica spada Bigralace l'avevano aiutata.

Passò a una scena più tranquilla.

Lei e il Cappellaio Matto erano al Castello di Marmorea, sulla terrazza in pietra bianca da cui si vedevano cascate scintillanti come l'argento.

Il Cappellaio si rivolse all'Alice dell'acquerello: "Devi essere mezza matta per sognare me."

"Evidentemente lo sono," rispose Alice.

I due si scambiarono un sorriso.

Alice pronunciò le parole successive insieme al suo doppio, raffigurato sul foglio: "Mi mancherai quando mi sveglierò."

Era vero, il Cappellaio le era mancato tanto negli ultimi tre anni. Avevano la stessa originale visione del mondo. Gli sarebbe piaciuto visitare tutti i luoghi esotici in cui lei era stata. Ogni volta che aveva scoperto una nuova moda (specie se riguardava i cappelli) o assaporato un tè particolare, il suo pensiero era corso a lui. Se solo avesse potuto raggiungerla!

Suo padre era l'unico che avrebbe creduto alle storie del Sottomondo, ma lui non c'era più.

Nonostante tutto quello che era riuscita a realizzare in

questo mondo, sua madre continuava a vederla soltanto come una ragazza che non aveva ancora trovato marito. E sua sorella era della stessa opinione.

Scostando la tenda dai vetri della finestra, Alice guardò fuori, oltre i tetti di Londra. Perché per la sua famiglia era tanto difficile accettarla? Lei era destinata a grandi avventure! Ebbene, presto avrebbe dimostrato a tutti di cosa era capace, a cominciare dal suo prossimo incontro con Hamish. Se avesse ottenuto il sostegno della compagnia di navigazione per i suoi nuovi progetti commerciali, lei e sua madre avrebbero potuto permettersi una vita più decorosa. Ci sarebbe voluto soltanto un po' di tempo, ancora...

II

IL MANIERO degli Ascot si ergeva in cima a una collina, in fondo a un lungo viale illuminato da tante lanterne che brillavano nel crepuscolo. Mentre la carrozza arrivava a destinazione, lo sguardo di Alice fu attirato dai boschi che costeggiavano la strada. D'un tratto, scorse l'albero nodoso che contrassegnava l'ingresso al Sottomondo.

"Guarda, mamma! La tana del coniglio!" strillò Alice.

"Per favore, cara, non cominciare!" Helen Kingsleigh si portò una mano alla fronte come se le fosse scoppiato un mal di testa.

Alice si ricompose. Sapeva che era difficile per sua

madre credere nelle cose impossibili. Non valeva la pena d'insistere.

La carrozza si fermò e un valletto si precipitò ad aiutare le due signore a scendere. Mentre Alice pagava il cocchiere, il valletto prese il mantello di Helen. La donna tentò di nascondere con le mani il pizzo logoro che le bordava la scollatura. Avrebbe voluto potersi permettere un guardaroba migliore. Il suo malumore peggiorò quando si accorse di come era agghindata Alice.

"Avrei preferito che avessi indossato il vestito giallo," bisbigliò Helen.

Alice sorrise e accarezzò con orgoglio il suo abito tradizionale cinese in seta finissima. Il colletto rosa, giallo e rosso ricordava la corolla di un fiore e il giacchino viola era ornato da bellissime farfalle ricamate.

La gonna verde e gialla, a pieghe, ondeggiava leggera a ogni suo movimento. Sapeva che nessuno, a Londra, avrebbe mai avuto il coraggio di accostare tutti quei colori e ancor meno di adottare quello stile, ma lei lo adorava.

"Se andava bene per Cixi l'imperatrice della Cina, andrà bene anche per gli Ascot," disse Alice.

Capitolo Due

"Ma perché sei sempre così testarda?" mormorò Helen. Finalmente entrarono nel maniero e le pesanti porte di quercia si richiusero alle loro spalle. Senza saperlo, i domestici avevano sbarrato l'ingresso alla farfalla azzurra che, contrariata, agitò nervosamente le ali.

Alice si avvicinò con sicurezza al salone e sua madre la seguì esitante.

Si fermarono sulla soglia: in quella stanza erano riuniti i più importanti esponenti dell'aristocrazia londinese intenti a passeggiare o a danzare sul pavimento lucidato a specchio.

Le signore sfilavano davanti ai loro occhi sfoggiando lunghi strascichi color oro, blu zaffiro e verde smeraldo, ed esibendo magnifiche acconciature. I signori camminavano tutti impettiti, indossavano marsine impeccabili e guanti bianchi. Alice trattenne una risata, le sembrava di assistere a una parata di pavoni e pinguini.

"Miss Kingsleigh?" la chiamò una voce. Alice riconobbe James Harcourt, l'impiegato.

"Voi, qui..."

"Sono venuta a presentare la mia relazione a Lord Ascot, Signor Harcourt," dichiarò Alice.

James, colpito ancora una volta dalla sicurezza della ragazza, si trattenne e non aggiunse altro, benché sapesse che le due donne non erano state invitate. Si limitò ad annuire e fece loro segno di seguirlo.

Si fecero strada in mezzo al mormorìo della folla suscitato dal loro ingresso inatteso, e anche dall'abito di Alice.

Helen era imbarazzatissima, Alice nemmeno un po'.

Sotto un grosso lampadario di cristallo, videro Lady Ascot, Hamish e sua moglie che sorridevano ai loro invitati. Hamish chiacchierava con fare borioso, mentre la moglie Alexandra, gentile e garbata quanto insignificante, teneva in braccio un neonato.

Quella sera celebravano il successo di Hamish, ora che era diventato lord nessuno avrebbe osato ridere di lui e, soprattutto, nessuno avrebbe osato respingerlo come aveva fatto Alice. All'improvviso Hamish notò Helen e la giovane donna vestita in modo bizzarro che l'accompagnava. Harcourt le stava conducendo verso di lui. Con grande stupore si accorse che la giovane che indossava quel giacchino colorato e vistoso non era altri che Alice.

Nemmeno a Lady Ascot sfuggirono le due intruse.

Pensò che l'idea di presentarsi senza invito doveva essere stata di Alice. Decise che non le avrebbe mandate via, non sarebbe stato un gesto signorile.

"Helen! Che sorpresa!" disse Lady Ascot sollevando un sopracciglio per manifestare la sua disapprovazione. Tese la mano avvolta in un guanto scarlatto, colore perfettamente intonato al suo abito, e strinse il braccio di Helen. Poi si rivolse ad Alice. "Ma questa è Alice? Perbacco, l'aria di mare ha fatto meraviglie, quando siete partita eravate così smunta."

"Grazie," rispose Alice. Solo Lady Ascot riusciva ad accostare nella stessa frase un insulto e un complimento.

"Helen, mia cara, vi trovo bene..." disse con un falso sorriso Lady Ascot.

Hamish si riscosse. "Eccovi qui, dunque, Alice! Avete *solo un anno* di ritardo," disse in tono cerimonioso, fingendo di aver dimenticato che non molto tempo prima si davano del tu.

Saltellava nervoso da un piede all'altro. "Temevamo che voi e il nostro vascello non sareste più tornati."

"Il mio vascello," puntualizzò Alice. "Buonasera, Hamish."

Poco distante, Alexandra tossicchiò. "Credo sia più corretto rivolgersi a mio marito come Lord Ascot. In fondo, è proprio per festeggiare il suo nuovo titolo nobiliare che è stata organizzata questa serata," commentò secca.

Il neonato cominciò ad agitarsi. Alexandra lo affidò subito alle mani più esperte della bambinaia. "Signorina Kingsleigh," disse Hamish in tono affettato. "Questa è mia moglie, la nuova Lady Ascot."

Alice e Alexandra si squadrarono a vicenda. Le labbra di Alexandra erano serrate, come se avesse assaggiato qualcosa di aspro.

"Hamish mi ha detto che avete fatto il giro del mondo in questi ultimi tre anni," commentò con eccessivo entusiasmo.

"Sì, sono appena tornata," replicò Alice.

"Ebbene, allora, com'è stato?" domandò Alexandra.

"Vedere il mondo, intendete?"

"Ovvio!" esclamò l'altra.

Alice non poté fare a meno di stuzzicarla. "Ah, magnifico. Anche voi dovreste fare un viaggetto, ogni tanto."

James si coprì la bocca per soffocare una risata, Alexandra non riuscì a nascondere il disappunto.

"Sono venuta a presentarvi la mia relazione, Lord Ascot," continuò Alice, per nulla intimorita dall'atteggiamento di Hamish.

"Ah, certo!" disse Hamish. "Se volete seguirmi, Signorina Kingsleigh."

Mentre si allontanavano, Alice percepì la disapprovazione di Alexandra, convinta che per una donna fosse riprovevole occuparsi di affari.

Sì, è proprio adatta ad Hamish, pensò Alice. *Molto più di me.*

Hamish condusse Alice in un salottino rosso dove alcuni gentiluomini chiacchieravano di affari. Dalle pareti, i ritratti degli antenati di Hamish li osservavano severamente, quasi potessero udire i pettegolezzi che aleggiavano nella stanza.

Tutti si voltarono a osservare i nuovi arrivati, accolsero Hamish con un cenno di saluto e fissarono incerti Alice.

"Signori," disse Hamish rivolgendosi ai presenti. "Posso presentarvi la Signorina Alice Kingsleigh? Alice, il consiglio di amministrazione."

Nessuno ricambiò il sorriso educato di Alice, ma lei non si aspettava certo che sarebbe stato facile ottenere il consenso dei membri del consiglio. Senza timore, iniziò il discorso che si era preparata.

"Signori, dobbiamo agire rapidamente! Gli utili del mio viaggio..."

"Che sono appena sufficienti a coprire i costi," la interruppe Hamish.

Alice gli lanciò un'occhiata e ricominciò. "Le prossime spedizioni a Ta-Kiang o a Wuchang non vi saranno..."

"Non vi saranno altre spedizioni," la interruppe nuovamente Hamish.

"Cosa?" Alice era davvero stupita. Cosa diamine intendeva? La compagnia non poteva abbandonare le relazioni commerciali che aveva intessuto!

Capitolo Due

"I rischi non valgono gli utili," sentenziò Hamish. Poi lanciò un rapido sguardo ai membri del consiglio per essere certo di avere la loro approvazione.

Alice era confusa. Le merci che aveva portato erano di ottima qualità e poi doveva visitare ancora molti porti. Se solo le avesse dato l'opportunità di spiegare...

"Certo, i rischi ci sono, ma le possibilità sono illimitate," disse Alice.

Hamish agitò la mano come per scacciare quelle parole. "Un altro anno in mare? Abbiamo preso molte decisioni difficili durante la vostra assenza." E come se stesse posando per un pittore, mise le mani dietro la schiena e alzò fieramente la testa.

Alice lo guardò stupita. Finalmente capì che stava facendo sul serio. Nulla poteva smuoverlo da quella presa di posizione, aveva già deciso. "Ma... adesso che cosa ne sarà di me?"

"C'è un posto vacante come impiegata nel nostro ufficio," le propose Hamish tutto soddisfatto. Si stava prendendo una rivincita. "Per il momento vi occuperete di carte e documenti, ma col tempo..."

Il volto di Alice avvampò, sentì salirle la rabbia. "Non si tratta della Cina, vero? È perché tre anni fa ho rifiutato di sposarvi!"

Non riusciva a credere che Hamish potesse essere tanto stupido!

"Sono desolato, Signorina Kingsleigh," replicò Hamish per nulla dispiaciuto. "Ma questo è tutto quello che possiamo fare per voi. Nessun'altra compagnia assume donne nel ruolo di impiegate, figuriamoci come comandanti di vascello!"

Molti membri del consiglio risero sotto i baffi, altri parevano indignati. Soltanto James, che si era introdotto di soppiatto nella stanza, rimase immobile desiderando di poter fare qualcosa.

Alice tamburellò le dita su un tavolino. Avrebbe fatto sentire le sue ragioni a qualunque costo. "Io ho diritto di voto, posseggo il dieci per cento della compagnia! Vostro padre ha messo da parte quelle azioni per me..."

"A dire il vero," intervenne Hamish. "Le ha date a vostra madre che me le ha vendute l'anno scorso, mentre eravate in viaggio. Insieme all'ipoteca sulla vostra casa."

Alice sibilò di rabbia. "La... casa?"

"Data in garanzia da vostro padre per il vascello che acquistò a suo tempo," proseguì Hamish.

"Il Wonder?" domandò Alice con voce strozzata.

"Sì. Trasferiteci la proprietà del vascello e riscatterete la casa, riceverete uno stipendio e una pensione." Ostentava un'aria annoiata, ma non le toglieva gli occhi di dosso.

"Rinunciare al Wonder?" Alice era inorridita.

"Altrimenti non possiamo aiutarvi," disse Hamish posando la mano sopra un foglio di carta abbandonato su un tavolo.

Alice fu travolta dalla collera quando si accorse che quel foglio era un contratto già stilato. Helen Kingsleigh entrò in quel momento, guardandosi intorno.

"E non potremo nemmeno aiutare vostra madre." Alice sentì un brivido correrle lungo la schiena.

Scorse le spalle minute di Helen con la coda dell'occhio, subito si voltò dall'altra parte, aveva un impellente bisogno di pensare.

Spalancando la porta, Alice abbandonò il salottino.

Helen la rincorse, ma Alice non si fermò finché la madre non la raggiunse e l'afferrò per un braccio.

Alice si voltò, incapace di nascondere il suo sdegno: ora non avevano più voce in capitolo sulla compagnia e nessun controllo sul loro destino. "Come hai potuto vendere le nostre azioni?"

"Non avevo scelta, Alice! Con tua sorella sempre occupata e tu per mare..." replicò Helen quasi gridando. Gli invitati cominciarono a fissarle.

Helen respirò a fondo e condusse Alice lungo un corridoio, chiudendo la porta alle loro spalle. Sulle pareti campeggiavano file di quadri e finestre.

Alice si divincolò dalla madre, guardò attraverso i vetri, nel giardino sottostante, dove la luce della luna gettava lunghe ombre sul terreno.

"L'ho fatto per te, Alice!" disse sua madre in tono deciso. "In modo che potessi avere una vita dignitosa e che non rimanessi sola."

"Dieci minuti fa ero un capitano di vascello," replicò Alice con amarezza. Con la prossima spedizione avrebbe procurato a entrambe una vita agiata.

"Il capitano di vascello non è un lavoro adatto a una signora!" commentò Helen.

"Bene!" esclamò Alice. "Anzi, meglio! Quando sono in viaggio mi sento libera, proprio come si sentiva papà. Ma tu preferiresti che fossi una semplice impiegata!"

"Sto parlando di matrimonio, Alice!" sbottò Helen. "Il tempo non gioca a tuo favore!"

Ci risiamo, pensò Alice. Sua madre non comprendeva la sua sete d'avventura, lei non si sarebbe mai accontentata di una vita tranquilla passata a prendersi cura della casa e di un marito.

Era proprio in momenti come quello che Alice sentiva la mancanza di suo padre. Lui l'avrebbe incoraggiata a prendere una strada diversa.

"Un tempo credevo a sei cose impossibili prima di fare colazione," mormorò Alice, ricordando come il volto di suo padre era solito illuminarsi mentre la intratteneva con le storie fantastiche. Senza rendersene conto, si strofinò il punto del braccio in cui gli artigli di Grafobrancio avevano lasciato le cicatrici, ricordo indelebile di un luogo dove tutto era possibile.

"Quello è un sogno infantile, Alice," disse sua madre. "Per donne come noi il solo modo di avere una vita dignitosa è sposare un buon partito."

Alice alzò gli occhi al cielo. Perché sua madre aveva una mentalità così ristretta?

Non era necessario credere nella magia per costruire qualcosa di nuovo.

"Sto solo cercando di aiutarti," continuò sua madre dolcemente.

"Lasciamo perdere," l'aggredì Alice. "L'ultima cosa che voglio dalla vita è fare la tua stessa fine."

Senza aggiungere altro, Alice girò i tacchi e si dileguò. Non si voltò indietro, perciò non vide sua madre portarsi le mani al volto, gli occhi pieni di lacrime.

III

ALICE ENTRÒ nella serra degli Ascot e fu accolta da un delicato fruscìo di foglie e una dolce fragranza di fiori. Facendosi strada tra le fronde, vagò fino a una panchina bianca. Attraverso il tetto di vetro, riusciva a vedere la luna e le stelle. Quasi come navigare di nuovo, pensò rattristata.

Forse non avrebbe navigato mai più. Si sedette e sospirò, poi tirò fuori l'orologio di suo padre.

"Trasferire la proprietà del Wonder per diventare un'impiegata... e rinunciare all'impossibile?" mormorò tra sé e sé.

Scosse la testa, il pensiero le era insopportabile. Se solo Lord Ascot fosse stato ancora vivo! Con Hamish,

invece, Alice avrebbe dovuto rinunciare ai suoi sogni e a tutto ciò che il padre le aveva insegnato.

Un tremolìo attirò la sua attenzione: era una farfalla azzurra venuta a posarsi sopra un'orchidea, lì vicino. La vide alzarsi, svolazzarle intorno e infine adagiarsi sul bracciolo della panchina, vicino alla sua mano. Aveva ali luccicanti e continuava ad aprirle e chiuderle, come se tentasse di mandarle un messaggio.

Che creatura bizzarra, pensò Alice. Non aveva mai visto una farfalla comportarsi in quel modo. Il suo colore acceso le ricordava quello del Brucaliffo. In effetti, l'ultima volta che gli aveva parlato, nel Sottomondo, il Brucaliffo stava richiudendosi a crisalide, perciò era possibile che si trattasse di lui. Di certo non era impossibile. "Brucaliffo?" lo chiamò esitando.

La farfalla si librò davanti al suo viso, come per annuire, poi uscì dalla serra volando velocissima. Alice balzò in piedi e la seguì. Forse era davvero il Brucaliffo, forse stava cercando di condurla nel Sottomondo. Ma invece di dirigersi nel bosco, dove si trovava la tana del coniglio, la farfalla puntava verso il maniero.

Capitolo Tre

Alice sospirò delusa. Le sarebbe piaciuto tornare nel Sottomondo, dove nessuno avrebbe avuto da ridire su un capitano donna. Anzi, i suoi amici, laggiù, le avrebbero dimostrato solidarietà.

La farfalla si fermò a mezz'aria e le si avvicinò di nuovo. Ondeggiò, prima verso di lei e poi verso il maniero, con insistenza. *Mmmm, una farfalla testarda. Tipico del Brucaliffo. Bene, anche se non mi sta portando nel Sottomondo, non ho niente di meglio da fare*, pensò Alice. Così lasciò che la farfalla la guidasse sino alla scalinata in pietra del maniero, oltre le porte aperte del patio.

Ormai era quasi certa che si trattasse davvero del Brucaliffo e che avesse bisogno che lei lo seguisse. Perché altrimenti una farfalla avrebbe sfidato il frastuono e le luci di un ricevimento? La vide fluttuare sopra i musicisti e le coppie di ballerini sulla pista da ballo. Alice dovette scansare tutti per non perderla di vista. Urtò involontariamente un gentiluomo e fu costretta a fermarsi per scusarsi.

Quando si voltò per riprendere l'inseguimento,

la farfalla era scomparsa. *Brucaliffo, non riesco a starti dietro se non rallenti un po'*, pensò Alice. Esaminò attentamente il salone, poi notò un puntino azzurro e brillante vicino al lampadario che sovrastava il tavolo del buffet. Alice si affrettò e, ignorando le buone maniere, salì su una sedia e poi sul tavolo. Cosa voleva il Brucaliffo? Doveva essere importante, visto che aveva lasciato il Sottomondo. Scavalcò l'argenteria disposta ordinatamente sulla tovaglia e poi i piatti di frutta, i dolcetti e infine il centrotavola di rose.

Aveva quasi raggiunto con le dita il lampadario di cristallo, quando Helen si precipitò da lei.

"Alice! Scendi subito da lì," ordinò. Ma era troppo tardi. Tutti gli invitati guardavano Alice sbigottiti, mentre quest'ultima si faceva largo tra vassoi.

Disturbata dall'arrivo di Helen, la farfalla volò all'altro capo del tavolo, accanto all'unico dei presenti che non si era accorto di nulla.

Hamish era così occupato a tenere banco con gli ospiti che non aveva visto Alice, ma in compenso notò quella farfalla dalle ali azzurre e scintillanti.

Capitolo Tre

"Che orribile falena," esclamò Hamish. Sbatté più volte una mano sul tavolo, nel tentativo di schiacciarla.

"Brucaliffo, no!" gridò Alice. Senza pensarci due volte, balzò su Hamish ed entrambi caddero a terra.

"Aiuto! Attentato! Polizia! Mamma!" strillava Hamish mentre Alice lo prendeva a pugni.

"Sei un bruto!" urlava Alice.

"Helen! Controlla tua figlia!" Lady Ascot era atterrita.

"Alice! Cosa ti salta in mente?" disse Helen, accorsa a placare la zuffa. Cercò di avvicinarsi, ma Alice la scacciò via bruscamente.

"Toglietemela di dosso," continuava a gemere Hamish, tentando invano di proteggersi il volto con le mani.

Due camerieri, finalmente, riuscirono a separare i litiganti.

Non appena si rialzò, Alice scorse un battito azzurro vicino alla grande scalinata.

Due valletti la tenevano d'occhio, impedendole di allontanarsi. Senza perdere di vista la scalinata, Alice afferrò una saliera e una pepiera dal tavolo e cominciò ad agitarle contro i valletti. I due uomini presero a starnutire sonoramente e Alice ne approfittò per svignarsela, raggiungendo i gradini. Intanto chiamava a gran voce il Brucaliffo chiedendogli di aspettarla.

Giunta in cima, la farfalla era scomparsa. Alice girò l'angolo e si ritrovò all'inizio di un lungo corridoio. Cominciò a percorrerlo, ma non appena udì lo scalpiccìo concitato di alcuni domestici alle sue spalle, si infilò nella stanza più vicina e chiuse la porta.

Si mise in attesa, il rimbombo dei passi faceva vibrare il pavimento. Quando gli uomini si allontanarono, si lasciò sfuggire un sospiro. Solo allora si voltò e osservò la stanza.

Era un salotto e sembrava inutilizzato da tanto tempo. In un angolo c'era una scrivania sommersa dalle carte; poco distante vide un tavolo su cui era posata una scacchiera coperta di polvere, i tappeti odoravano di muffa.

Una parete era dominata da due ritratti a olio e un enorme specchio antico era appeso sopra al caminetto. Su una grande mensola di marmo bianco, protetto da una campana di vetro, c'era un orologio dagli ingranaggi d'argento.

Capitolo Tre

Nello specchio vide muoversi qualcosa. Era la farfalla azzurra.

"Brucaliffo? Sei tu, o non sei tu?" domandò Alice appena la farfalla le si posò sulla spalla. L'insetto agitò le antenne, poi si alzò nuovamente in volo. Quando Alice si voltò per vedere dove fosse andato a cacciarsi, notò qualcosa di strano nello specchio. La superficie si era appannata ed emanava una nebbia argentata, come se stesse per evaporare.

Il Brucaliffo volò verso lo specchio e invece di rimbalzare contro il vetro, fu risucchiato dal vortice che si era creato all'interno.

Alice rimase a bocca aperta, si girò e con lo sguardo perlustrò il salotto. La farfalla non c'era più, ma riusciva a vederla riflessa nello specchio, posata sulla scacchiera.

"Che buffo," sussurrò. Poi si avvicinò al caminetto e tese una mano verso lo specchio. Le dita non incontrarono resistenza: il vetro sembrava un laghetto d'acqua.

Quando tirò indietro la mano, scoprì con sorpresa che era asciutta.

Qualcuno fece ruotare la maniglia della porta e Alice si voltò di scatto. Sentì alcuni uomini armeggiare con la serratura.

Non le andava di affrontarli e così salì rapidamente sulla mensola del caminetto, attenta a non urtare la campana di vetro. Esitò, l'orologio ticchettava sempre più rumorosamente. Prese un respiro profondo e, proprio quando udì scattare la serratura, entrò nello specchio.

Mentre lo attraversava, percepì un'ondata di freschezza, ma la sua pelle non si bagnò. Uscì dalla parte opposta e si trovò in un salotto identico a quello che aveva appena lasciato, ma molto più grande. Lei, in compenso, aveva le dimensioni di un grosso insetto!

In piedi, sulla mensola del caminetto, era alta più o meno la metà dell'orologio. Le pareti, il soffitto e il pavimento, sembravano lontanissimi.

"Che buffo, che buffissimo," esclamò. Alice aveva già vissuto quella scena altre volte nel Sottomondo. Solo laggiù si era sentita così emozionata e disorientata allo stesso tempo.

Capitolo Tre

"Ciao, Alice!" l'apostrofò una voce.

Alice si voltò e scoprì che l'orologio aveva assunto il volto di un vecchio. Le sorrise e i numeri ai lati della bocca si sollevarono.

"Non dovresti essere qui", si lamentò la signora del dipinto a olio rivolgendosi ad Alice. "Sei troppo vecchia per queste sciocchezze!"

"Oh, taci", ribatté l'uomo dall'altro dipinto. "Non si è mai troppo vecchi!"

Alice gli sorrise con gratitudine, poi fece un gran respiro e, dalla mensola del caminetto, saltò sul divanetto imbottito, lì sotto.

Rimbalzò nel tessuto morbido, scese e s'incamminò verso il tavolo degli scacchi.

Sul bordo di quest'ultimo, Alice notò un uovo dall'aspetto umano con delle crepe sul volto. Non poteva essere altri che Humpty Dumpty. Lui le fece un cenno incoraggiante, così Alice prese la rincorsa e saltò sul tavolo mulinando le braccia.

Sfortunatamente, durante l'atterraggio, Alice sfiorò l'uovo che prese a oscillare pericolosamente.

"Oh, no, ancora! Ahi... Ahi...!" gridò Humpty Dumpty mentre ruzzolava sul pavimento.

Quando lo vide frantumarsi al suolo, Alice si sentì in colpa. "Mi dispiace davvero!" urlò a sua volta.

"Non preoccuparti, cara!" disse Humpty, il volto staccato dal resto del corpo. "Sono io che dovrei smettere di starmene in bilico."

Dalla scacchiera, uno dei re guardò Humpty, poi si voltò verso il suo esercito e ordinò: "Tutti i miei cavalli, tutti i miei uomini! Al salvataggio!"

I pezzi degli scacchi obbedirono e, sciamando intorno ad Alice, cominciarono a scivolare lungo le gambe del tavolo, fino a terra. Raccolsero i frammenti di guscio e li rimisero insieme come meglio potevano.

Alice seguì gli scacchi lungo una gamba del tavolo. Povero Humpty! La farfalla le si posò accanto. Le sue belle ali azzurre scintillavano, ma era accigliata. "Impacciata come sempre. E doppiamente ottusa," disse. "Sapevo che non avresti capito il messaggio."

"Oh, Brucaliffo, sei tu!" gridò Alice abbracciando la farfalla che cercava di divincolarsi.

"Sei stata via troppo tempo, Alice. Gli amici non vanno trascurati," sentenziò.

"Perché? Che cosa è successo?" domandò lei, parecchio allarmata.

Il Brucaliffo si librò in aria. "Saprai tutto a tempo debito. Intanto seguimi, e in fretta." E vibrò le antenne per indicare la porta.

Rassegnata e confusa, Alice attraversò la stanza. Il Brucaliffo si era trasformato in una farfalla, ma non per questo le sue risposte erano diventate meno sibilline. Raggiunse la porta, che era diventata proprio della sua misura. La fortuna era di nuovo dalla sua parte. L'aprì.

Udì la voce del Brucaliffo accanto al suo orecchio. "Occhio al gradino," raccomandò. Poi... svanì nel nulla.

IV

"AAAAAHHHHH!" GRIDÒ ALICE. Stava precipitando attraverso un cielo splendente.

Ovunque fluttuavano soffici nuvole rosa, alcuni uccelli rinsecchiti virarono per scansarla. *Perché per andare nel Sottomondo devo sempre precipitare?* si domandò, perplessa. Il terreno era sempre più vicino e, a differenza di quando era caduta nella tana del coniglio, questa volta non c'era nulla che potesse rallentare la sua corsa.

"Uff!" Alice atterrò con un tonfo tra i petali di un crisantemo gigante. Capì di trovarsi in una composizione floreale sopra un tavolo del giardino del Castello di Marmorea.

Con gioia, vide i suoi vecchi amici riuniti che l'attendevano. C'erano il Bianconiglio, che per la prima volta l'aveva portata in quel luogo magico, lo strambo Leprotto Marzolino e i gemelli Pinco Panco e Panco Pinco, seduti su una panchina poco distante. Di fronte a loro Bayard, il segugio con il fiuto più fino di tutto il Sottomondo, le abbaiò dolcemente, in segno di saluto. Mally, l'impavido Ghiro, camminava nervosamente avanti e indietro tra i fogli di carta sparsi sul tavolo. Proprio accanto a sé, Alice vide la bella e gentile Mirana, la Regina Bianca, che però sembrava turbata.

Alice si alzò, si spazzò via la polvere dalla veste, sorrise a tutti, ma nessuno di loro ricambiò.

"Sono arrivata in un brutto momento?" domandò.

"Avevamo paura che non venissi più," rispose Mirana. Con le sue mani delicate, sollevò Alice e la ripose sul tavolo.

"Che cosa succede?" chiese Alice. Il Ciciarampa era stato sconfitto, la Regina Rossa e il suo Fante erano stati esiliati nelle Aldilànde, Alice aveva sperato che il Sottomondo avrebbe vissuto una lunga epoca di pace.

"Il problema è il Cappellaio," intervenne il Bianconiglio.

Solo allora Alice si rese conto che il Cappellaio mancava all'appello. Che strano, lui adorava le riunioni tra amici.

"O forse il problema è *del* Cappellaio," specificò Pinco Panco. "No, è il Cappellaio!" intervenne Panco Pinco. "No, è del Cappellaio!" insistette suo fratello.

"Ragazzi!" Mirana li richiamò all'ordine.

"È matto," dissero i Pinchi all'unisono.

"Sì, lo so! Ma la pazzia è ciò che fa di lui... quello che è!" concluse Alice che continuava a non capire.

"È peggiorato, però" proseguì Pinco Panco in tono grave. "Si rifiuta di ridere," aggiunse.

"S'alza l'oscurità, per chi è senza ilarità!" declamò a gran voce suo fratello.

Il Cappellaio non rideva più? Era difficile per Alice immaginarlo senza un luccichìo birichino negli occhi.

All'improvviso, si materializzò un sorrisetto a mezz'aria. E a poco a poco apparve anche lo Stregatto, tutt'intero, pigramente acciambellato com'era solito presentarsi.

"Non c'è nulla che possiamo studiare o inventare per cambiare questa situazione," spiegò lo Stregatto indicando i fogli di carta sul tavolo.

Alice diede un'occhiata. Le pagine erano piene di schizzi e appunti per far ridere il Cappellaio. C'erano schemi per il solletico, elenchi di scherzi, indovinelli, barzellette...

"Vorremmo ci aiutassi a salvarlo," concluse infine lo Stregatto.

Alice era perplessa. "Salvarlo? E da cosa?"

Tutti si scambiarono un'occhiata; poi Bayard si avvicinò e Alice rimase molto colpita dal suo nasone enorme.

"Un giorno ci fu una terribile tempesta, così ci avventurammo tutti nella Foresta di Tulgey, per dare un'occhiata in giro," cominciò Bayard. Raccontò di come il vento avesse sparso ovunque foglie e rami. Dopo aver camminato a lungo, decisero di giocare a riporta il bastone.

Bayard lanciava e il Cappellaio faceva da riporto. Gli stava di fronte a quattro zampe e aspettava il tiro. "Il Cappellaio era perfettamente a suo agio," proseguì Bayard. "Fino a che..."

Il muso del segugio s'ingrugnì. Spiegò che il Cappellaio

all'improvviso era diventato pallido come se avesse visto un fantasma. Poi si era alzato ed era corso a recuperare un cappellino di carta azzurra che qualcuno aveva nascosto nel buco del tronco di un albero.

"È iniziato tutto così," concluse mestamente Bayard.

"Tutto cosa?" chiese Alice impaziente.

"L'immenso declino," intervenne Mirana.

Il Bianconiglio fece un salto. "È convinto che la sua famiglia sia ancora in vita."

"Questo lo ha reso terribilmente serio," aggiunse Bayard.

"È diventato sano di mente terminale," sentenziò Pinco Panco. E, per una volta, suo fratello non ebbe niente da ridire.

Mally singhiozzò. Visto che era alta come lui, Alice cercò di consolarlo con un abbraccio. Cadde il silenzio, ognuno era immerso nei propri pensieri.

"Abbiamo provato di tutto," disse infine Bayard. Indicò i fogli sul tavolo, avevano persino trovato una ricetta per preparare il Succo Ridarella e fatto il bozzetto di una scenetta intitolata *Siamo matti per la follia*!

Mirana si rivolse ad Alice con occhi pieni di speranza. "Infine abbiamo pensato a te."

Alice drizzò la schiena. Avrebbe fatto qualsiasi cosa pur di aiutare il Cappellaio. Non lo avrebbe deluso. "Dov'è, ora?" domandò.

Dopo essersi appartata dietro un cespuglio a mangiare un po' di torta Tortinsù, sapendo bene di non poter esagerare, Alice tornò della sua normale statura. Scambiò uno sguardo d'intesa con Mirana, che le sorrise fiduciosa.

La Regina Bianca le fece strada fuori dal giardino del castello, lungo una discesa che portava in un boschetto. Il resto del gruppo seguiva a ruota, i gemelli, come di consueto, si spintonavano a vicenda.

Mirana si fermò ai margini di una radura che si affacciava su una gola.

Di fronte a loro, si ergevano splendidi ciliegi, fioriti lungo la scarpata, mentre una piccola cascata gorgogliava sulla parete. Poco distante, una sottile striscia di terra battuta conduceva a una casa che non poteva che appartenere al Cappellaio Matto.

Bisognava essere proprio matti per arrischiarsi su quella stradina ogni giorno! La casa aveva la forma di un cappello a cilindro e muri circolari, la falda faceva da tetto.

Alice percorse il sentiero a piccoli passi, fino ad arrivare al portico bianco e rosso. Alzò la mano per bussare, ma la porta turchese si aprì da sola.

Si trovò di fronte un uomo che indossava un abito grigio scuro. Aveva i capelli rossi ben pettinati e un'espressione seriosa sul volto. Alice lo scrutò attentamente. Sembrava proprio il Cappellaio, ma non poteva essere lui. Era del tutto... *normale*.

Se non fosse stato per il colore dei capelli, Alice avrebbe potuto scambiarlo per un austero banchiere di Londra.

"Sì?" domandò il Cappellaio. Persino la sua voce era cambiata. Era suadente, pacata.

"Cappellaio, sono io... Alice!" Avanzò di un passo per abbracciarlo, ma lui si scansò.

"Non prendo in carico nuove teste, per ora," disse sbrigativo il Cappellaio. "Buona giornata."

Fece un passo indietro e chiuse la porta in faccia ad Alice. Per un attimo la ragazza non reagì, poi riaprì la porta ed entrò. Quella faccenda sembrava più difficile del previsto.

All'interno, la casa era accogliente, aveva pavimenti in legno, incredibilmente puliti. Grossi rotoli di tessuto riempivano una scaffalatura, erano tutti impeccabilmente etichettati, in base ai colori e ai materiali. A dimostrazione della sua abilità, appesi alle pareti c'erano alcuni modelli che il Cappellaio Matto aveva creato in passato, cappelli bellissimi, dai tessuti impeccabili e soffici piumaggi. Di lato c'era una scala a chiocciola turchese che portava al piano superiore.

Seduto dietro una grande scrivania, il Cappellaio era intento a compilare un registro contabile, con la sua penna d'oca. Alzò lo sguardo, stupito da quella seconda visita.

"Cappellaio, sono io! Alice! Alice!" esclamò lei.

"Signorina, vi prego." Il Cappellaio posò la penna. "Se desiderate un cappello..."

"Non desidero un cappello," lo interruppe lei. "Sono venuta qui per parlare con te!"

"Ebbene, se non desiderate un cappello, non posso aiutarvi!" ribatté seccamente il Cappellaio.

"Certo che puoi, invece!" Alice si sporse sulla scrivania e scrutò attentamente il suo volto alla ricerca di una scintilla di moltezza. "Ho solo bisogno che tu, sia di nuovo tu! Tutti ne hanno bisogno!"

Il Cappellaio socchiuse gli occhi. "Non pensiate di portare idee strampalate qui dentro," disse.

Alice fece un sorrisetto furbo. "Nemmeno se ti dicessi che so perché un corvo assomiglia a una scrivania?"

Il Cappellaio rimase impassibile.

"Perché c'è una "r" in entrambe le parole e una "h" in nessuna," continuò Alice.

Lei gli sorrise trionfante, ma il Cappellaio si alzò e si allontanò. Bofonchiando qualcosa, raggiunse una porta aperta che dava sul retro. Delusa ma non scoraggiata, Alice lo seguì.

Nel salottino, il Cappellaio si fermò sotto un gigantesco ritratto di famiglia. Uomini e donne erano in posa intorno a un cappello a cilindro, posto sopra una colonna di pietra bianca. Il Cappellaio se ne stava in disparte. L'uomo più vicino a lui aveva il volto severo. Erano tutti un po' corrucciati, tranne il Cappellaio e un bambino.

"Chi sono?" domandò Alice.

"La mia famiglia," rispose il Cappellaio con orgoglio.

"Stanno tornando a casa! Guardate, ho fatto dei cappelli per ognuno di loro!"

Ne indicò diversi, magnificamente lavorati a mano. Poi glieli mostrò a uno a uno, a partire da un cilindro nero ornato con una fascia rossa, fino a una delicata cuffietta azzurra. Infine tornò al ritratto: "Mio padre, Zanik, mia madre, Tyva; mio zio Poomally; mia zia Bumalig; i cugini Pimlick, Paloo e il piccolo Bim."

"Ma... come fai a sapere che sono vivi?" chiese Alice.

Il Cappellaio le si avvicinò e la guardò dritto negli occhi.

"Sapete mantenere un segreto?" le sussurrò.

"No," rispose Alice con sincerità.

"Perfetto!" Il Cappellaio fece una giravolta e iniziò

a frugare in un cassetto. "Ho trovato questo!" esclamò mostrandole un cappellino di carta azzurra. "Una prova! Un indizio! Un messaggio!" si fermò per un attimo, poi riprese ancora più convinto: "Sono vivi!"

Alice era sconcertata: come poteva quel cappellino di carta spiegazzata provare che la sua famiglia era sopravvissuta? "Ma se sono vivi," replicò, "allora, dove si trovano?"

"È questo il problema!" proruppe il Cappellaio gesticolando. "Li ho cercati ovunque, qui e là. Niente da fare. Non capisco perché non siano venuti a cercarmi." Si lasciò cadere su una poltrona.

"Mi sfugge qualcosa," continuò Alice. "Mi hai detto tu stesso che i tuoi famigliari sono morti da tempo." Ma s'interruppe perché il Cappellaio si era alzato di scatto.

"Non so chi voi siate o cosa stiate cercando di fare," esclamò il Cappellaio. "La mia famiglia non è dipartitodefunta!"

"Ti prego, Cappellaio," disse Alice.

"Andatevene!" gridò lui e, sorpreso dalla sua stessa veemenza, inciampò all'indietro.

Alice tentò di aiutarlo a rimettersi in piedi ma lui la respinse. Respirava affannosamente, si voltò e si accasciò contro un tavolo.

Incerta su che cosa potesse dire per rimediare, Alice indietreggiò. Lanciò un'ultima occhiata alla figura tremante del Cappellaio e uscì alla luce del sole.

V

QUANDO ALICE ricomparve, Mally e il Leprotto Marzolino balzarono in piedi speranzosi. I Pinchi e Bayard si accostarono al nervosissimo Bianconiglio e Mirana levò le braccia in un gesto d'impazienza, come per attirarla a sé. Alice sentì gli occhi di tutti i suoi amici puntati su di lei.

"Non mi riconosce più," ammise mestamente.

Le speranze del gruppo s'infransero. Alice si morse un labbro abbattuta. Il Cappellaio si era sempre fidato di lei, anche quando Alice per prima non aveva fiducia in se stessa.

Durante il suo ultimo viaggio nel Sottomondo, era stato proprio lui a insistere sul fatto che lei fosse proprio quell'Alice che tanto avevano atteso. E ora la trattava come un'estranea.

"Cosa gli è successo?" domandò Alice.

"È come temevamo," rispose Mirana con voce tremante. "È stato colto da un terribile attacco di Dimentichella."

"Dimentichella?" ripeté Alice mentre si dirigevano al villaggio.

"È quando le cose ti entrano da un orecchio..." intervenne Pinco Panco.

"... Ed escono dall'altro," aggiunse Panco Pinco.

"Tutto risale al Giorno Orristraziante," disse Mirana. Si fermò vicino a una fontana e immerse la mano nell'acqua. Nel piccolo gorgo, apparvero le immagini di una fiera con bancarelle colorate e persone sorridenti.

"Si è sempre sentito in colpa per la morte della sua famiglia," continuò Mirana. Sulla superficie increspata dell'acqua, Alice riconobbe le immagini dei parenti del Cappellaio.

Vide Zanik e Tyva che chiacchieravano sotto una vecchia quercia, i cugini che si rincorrevano e gli zii fermi davanti a una bancarella con il cartello BEVIMI.

All'improvviso la scena divenne più chiara. Uno squillo di una tromba annunciò l'arrivo di Mirana in sella al suo cavallo bianco. Il Cappellaio la seguiva a piedi.

Quando scorse la sua famiglia, il Cappellaio alzò una mano per salutarli, ma in quell'istante, dall'alto, comparve un'ombra oscura. Con uno strillo, il Ciciarampa si tuffò in picchiata. La sua pelle scura come il catrame era coperta da un'armatura di scaglie, i suoi artigli affilati fendevano l'aria. Tutti urlavano in cerca di una via di fuga.

Il Ciciarampa mosse la sua orribile testa ed emise una vampata di fuoco che incendiò bancarelle e striscioni. L'aria si riempì di crepitìi e fumo.

Il cavallo di Mirana arretrò terrorizzato. Il Cappellaio, allora, prese le redini e condusse velocemente Mirana lontano dalla radura in fiamme. Le fiamme inghiottirono ogni cosa.

Mirana fissava l'acqua della fontana, ricordava bene quel giorno. Il Cappellaio era stato coraggioso ad averla portata in salvo. Se solo i suoi familiari fossero stati altrettanto fortunati! Quando il Cappellaio ritornò a cercarli, trovò solo cenere.

In uno scintillante getto d'acqua, apparve l'immagine di un Cappellaio più giovane, nel Giorno Orristraziante, in ginocchio tra le macerie annerite della festa. Era a pezzi, devastato, come il luogo in cui si trovava.

La scena sbiadì e la Regina Bianca si girò verso Alice con espressione seria.

"Da allora ha sempre vissuto con il peso del dolore per la loro perdita," disse.

Gli occhi verdi luminescenti dello Stregatto apparvero poco sopra Mirana e guizzarono verso Alice. "Così vedi, cara Alice, proprio come un albero, il nostro problema odierno ha le sue radici nel passato."

"Capisco," mormorò Alice.

"Ecco perché speravamo potessi tornare nel passato e portare in salvo la famiglia del Cappellaio," disse Mirana mettendosi una mano sul cuore.

"Tornare indietro nel tempo?" Alice era confusa. Se fosse stato possibile – ah, che cosa avrebbe dato perché lo fosse davvero! – c'erano così tanti momenti che avrebbe voluto rivivere! Avrebbe potuto rivedere suo padre e magari salvarlo. Anche se forse certe magie erano possibili soltanto nel Sottomondo.

"La Cronosfera," disse lo Stregatto con uno strano tono che la incuriosì. Sembrava quasi intimorito, ma come tutti i gatti che Alice aveva conosciuto, lo Stregatto non si faceva impressionare facilmente. Il fatto che lui avesse usato un tono così circospetto, era insolito... e intrigante.

"La Crono cosa?" chiese Alice.

"La Cronosfera, il cuore pulsante del Tempo. La leggenda dice che è capace di farti viaggiare attraverso l'Oceano del Tempo," spiegò Mirana.

Alice scrutò i volti degli amici. Il Bianconiglio giocherellava con il suo orologio, il Leprotto Marzolino storceva il naso e Mally la guardava con aria di sfida. I Pinchi con finta noncuranza strisciavano i piedi sulla ghiaia avanti e indietro e Bayard, dal canto suo, la fissava con gli occhioni spalancati. Lo Stregatto galleggiava sopra di loro e intanto si spazzolava la coda.

"Ma perché io?" chiese Alice a Mirana.

"Nessuno di noi può usare la Cronosfera, noi siamo

già stati nel passato. E se il tuo alter ego del passato vede il tuo alter ego del futuro..." la voce di Mirana si affievolì.

"Sì?" la esortò Alice impaziente. "Che cosa succede in questo caso?"

"Nessuno lo sa con certezza," ammise Mirana. "Ma sappiamo che sarebbe un disastro."

"Sembra pericoloso. E complicato," disse Alice.

Lo Stregatto fece un salto in aria vicino ad Alice e la fece sobbalzare. "Non è impossibile, è semplicemente non possibile."

Alice esitò per un momento, ma ormai aveva deciso. "Il Cappellaio è il Sottomondo, il Sottomondo è il Cappellaio. Se ha bisogno, lo aiuterò. A qualunque costo."

I Pinchi applaudirono. Il Leprotto Marzolino e il Bianconiglio fecero un balzo di gioia e agitarono le orecchie. E Mally annuì con approvazione.

Mirana, con un sorriso, prese per mano Alice. "Speravamo che accettassi."

Alice pensò che non c'era tempo da perdere. Prima iniziava e prima avrebbe riportato indietro il suo adorato

Cappellaio. "E dove si trova esattamente questa Cronosfera?" domandò.

"È nelle mani del Tempo, ovvio," disse lo Stregatto facendo le fusa.

"Credo che tutte le cose lo siano," commentò Alice. "Ma dov'è ora?"

"Nelle mani di Tempo," ripeté Mirana. "La Cronosfera è sua."

Alice sbatté le palpebre. "Scusa? Tempo è un lui, una persona?"

I suoi amici annuirono. Alice provò a immaginare questo Tempo, che forse sprecava ore e ore senza preoccuparsi di perdersi. Forse era vendicativo, dopotutto il tempo passa in fretta quando ci si diverte e si trascina quando si è tristi. Per non parlare della sua abitudine di portarsi via le persone buone... Magari era soltanto noncurante e volubile. Non si riesce mai a trovare Tempo quando si ha bisogno di lui. A qualunque costo, lei lo avrebbe convinto a prestarle la sua Cronosfera.

"Dov'è che Tempo passa se stesso?" domandò Alice a Mirana.

Mirana si voltò e condusse tutti al Castello di Marmorea. Attraversarono innumerevoli stanze, fino a quando giunsero in una parte che Alice non aveva mai visto. Entrarono in una sala dal pavimento di marmo bianco e nero, con le piastrelle disposte a spirale. Al centro si ergeva l'unico oggetto presente nella stanza.

Si trattava di un gigantesco orologio a pendolo nero, il cui ticchettìo lugubre risuonava nella stanza.

Alice notò che l'orologio era legato con decine di vecchie corde. Mirana gli si accostò con cautela, come se l'orologio potesse azzannarla.

"Egli vive in un vuoto d'infinità. In un castello di eternità. Da qui," Mirana indicò l'orologio, "fino a un miglio di distanza."

Alice osservò il pendolo che oscillava a ritmo ipnotizzante. Si riscosse solo quando Mirana si frappose tra lei e il braccio dorato dell'orologio.

La Regina Bianca agitò le mani. "È il momento di aprirlo," disse. Mentre le sue dita tracciavano in aria trame invisibili, le corde attorno all'orologio cominciarono a sbrogliarsi.

Alice rimase senza fiato quando quelle funi si tramutarono in migliaia di farfalle bianche, che le svolazzarono tutto intorno e poi uscirono dalla finestra. Alice alzò un sopracciglio come a chiedere spiegazioni.

"Tiene lontano la gentaglia," disse Mirana con una scrollata di spalle. Frugò in una tasca del suo vestito bianco, tirò fuori una chiave d'ottone e la inserì con cautela nella serratura della porta di vetro.

"Tutti pronti?" domandò.

Girò la chiave.

Quando la porta si aprì, si levò un vortice d'aria che attirava ogni cosa verso l'orologio.

Mally afferrò il cravattino del Leprotto Marzolino per evitare di essere risucchiato, Alice, invece, dovette farsi forza sulla gambe per sostenersi.

Alla stessa velocità con cui era cominciato, il vortice si placò. Con esitazione, Alice si avvicinò alla cornice di legno decorata dell'orologio e diede una sbirciatina oltre il pendolo. Non c'era luce, soltanto un'infinita distesa di buio. Rabbrividì.

Per farsi coraggio, ripeté a se stessa i suoi compiti:

"Trovare il Castello di Tempo, prendere in prestito la Cronosfera, viaggiare nel tempo fino al Giorno Orristraziante, mettere in salvo la famiglia del Cappellaio Matto, far tonare in sé il Cappellaio."

"Semplice... apparentemente," disse lo Stregatto dietro di lei.

Alice si voltò e vide che tutti avevano un sorriso ansioso dipinto sul volto. Non avrebbe ottenuto nulla se avesse continuato ad aspettare e a preoccuparsi. Era pronta a cominciare.

Mirana la fermò.

"Tempo è estremamente potente e anche piuttosto pieno di sé," l'avvertì la Regina Bianca. "Quindi cerca di essere gentile con lui. Stai attenta a non inimicartelo."

Alice non aveva nessuna intenzione di indispettire Tempo. Dopo aver fatto un cenno di saluto a Mirana e agli altri, si accucciò dentro l'orologio. Dall'interno sentì Bayard che la salutava "Buonviaggiavederci, Alice!" Ma lei non osò voltarsi indietro.

VI

ALICE VACILLÒ sul bordo di un abisso buio. Un altro passo in avanti e sarebbe precipitata. Al solo pensiero, le venne la pelle d'oca e si strofinò le braccia per cercare di scaldarsi.

Lontano, oltre l'abisso, scorse le guglie nere di un castello in stile gotico. Non c'era modo di raggiungerlo. Alice sospirò delusa e il vuoto inghiottì il suo respiro come se non ci fosse mai stato. Era arrivata a destinazione troppo in fretta, era stata come risucchiata. Sentì un rumore, un battito ritmato, sembrava un tamburo... o un orologio.

Tic.

Tic.

Scrutando verso il basso, Alice vide una passerella di pietra che saliva verso di lei ticchettando. Era lunga quanto la distanza che la separava dal castello e si avvicinava ogni secondo di più.

Sembrava la lancetta dei secondi di un enorme orologio con il castello posto al centro!

Tic.

Tic.

Alice cambiò posizione e si piegò sulle ginocchia. La lancetta continuava a salire.

Tic.

Tic.

Non appena ticchettò sotto di lei, Alice saltò. Ondeggiò per un attimo, ma gli anni trascorsi a bordo del Wonder le avevano insegnato a mantenersi in equilibrio sulle superfici in movimento. Si sfregò i palmi delle mani e si diresse con sicurezza verso il maniero.

DONG! Dal nulla, un fragoroso suono metallico investì il vuoto sotto di lei facendo vibrare la passerella. Sembrava un terremoto, Alice cadde. Mentre scivolava, le sue dita cercarono un appiglio sulla superficie ruvida.

Capitolo Sei

All'ultimo secondo, proprio quando credeva che il tempo (o meglio, Tempo) stesse segnando la sua fine, le sue mani trovarono una sporgenza e vi si aggrappò. *Caspita, c'è mancato poco*, pensò.

Fece per rialzarsi, ma la lancetta dei secondi ticchettò di nuovo e così Alice scivolò ancora all'indietro. Si ritrovò a penzolare dalla passerella, reggendosi con una mano sola.

Non guardare giù... non era così che si diceva a quelli che avevano paura dell'altezza? Ma Alice non soffriva di questa fobia. E non aveva altra scelta, doveva guardare in basso. Lo fece, in cerca di una via di fuga.

Là!

Sotto di lei, individuò quella che doveva essere la lancetta dei minuti. La lancetta dei secondi si avvicinava a essa velocemente. Alice doveva resistere ancora un po' e poi avrebbe trovato un altro appiglio...

Tic.

Il palmo con cui si teneva aggrappata alla pietra era sempre più sudato.

Tic.

Concentrò tutte le sue energie per mantenere stretta la presa. Non si era mai aggrappata così disperatamente a qualcosa prima d'ora.

Tic.

Poco prima che la lancetta dei secondi si allineasse a quella dei minuti, Alice si lasciò cadere. Sapeva di avere giusto un secondo di tempo, si era regolata proprio con lo scorrere della lancetta dei secondi. Per un attimo rimase sospesa nell'aria, poi andò a sbattere sui ciottoli appuntiti della lancetta dei minuti. L'atterraggio fu piuttosto duro...

Dopo aver ripreso fiato per qualche secondo (tic, tic, tic), si rialzò e si diresse verso il castello. Per fortuna, la lancetta dei minuti si era dimostrata piuttosto stabile e non c'erano stati altri *DONG* assordanti.

Alla fine della passerella, salì alcuni gradini che sembravano fatti di pietra nera fusa. In un attimo, si trovò davanti alle enormi porte del castello. *Ma quanto sarà alto Tempo?* si chiese. Non si era mai sentita così piccola, eppure una volta era stata persino alta pochi centimetri...

Capitolo Sei

Alice si avvicinò alla porta e vi si appoggiò spingendo con tutto il corpo.

CRRRRAAAAACK. I cardini protestarono rumorosamente e finalmente la porta si aprì.

Davanti a lei si apriva un corridoio con gigantesche colonne scolpite che reggevano un soffitto a volta.

Alice avanzò stupefatta. Ovunque c'erano scalinate e passerelle.

Le colonne si voltarono verso di lei con gran fragore. Alice si accorse che le loro basi erano in realtà degli enormi ingranaggi dentellati. Lo spostamento aveva innescato una reazione a catena e gli ingranaggi cominciarono a ruotare affondando nel pavimento. Tutto intorno giravano congegni ben caricati, come fossero parti di una macchina perfettamente oliata. Alla fine del corridoio, Alice vide una porta immensa. *Tempo ci tiene a fare bella figura*, pensò mentre raggiungeva un'altra stanza poco distante.

Era la vasta sala del trono, costruita in ossidiana. Il soffitto era così alto che Alice quasi non riusciva a vederlo.

File di archi in stile gotico si allungavano tra le pareti, creando un po' di movimento in quello spazio enorme. Dritto di fronte a lei, uno scalone portava fino a un piedistallo dove si ergeva un trono trafitto da un fascio di luce.

Proprio su quel trono se ne stava spaparanzato il signore delle ore, dei giorni, delle settimane e degli anni.

Sulla pelle pallida, spiccavano scurissime basette che si univano ai folti baffi. Portava un copricapo decisamente maestoso. Ai lati del suo mantello foderato di pelliccia, erano cucite grosse spalline che davano al suo busto una forma a clessidra. In una mano guantata stringeva uno scettro nero. Teneva gli occhi chiusi.

Alice non si aspettava di trovare Tempo addormentato sul posto di lavoro, poi si disse che in fondo non aveva obblighi d'orario e che anche lui aveva diritto a un pisolino di qualche minuto ogni tanto.

Aprì un occhio, ma lo richiuse subito. Alice saliva le scale, convinta che Tempo non si fosse accorto di lei.

Ma senza nessuna avvisaglia, Tempo si destò e scattò in piedi come una molla. Fissò Alice con i suoi occhi color argento.

Capitolo Sei

Alice raccolse le forze, si schiarì la voce e si fece avanti. Se era riuscita a negoziare con i mercanti di Hong Kong e a farsi ospitare dall'imperatrice della Cina, sarebbe riuscita a trovare un'intesa anche con Tempo.

"Buongiorno, signore," disse scegliendo con cura le parole. "Mi dispiace disturbarvi, ma mi chiedevo se poteste dedicarmi un po' del vostro tempo..."

Era stato un saluto degno della buona società londinese, anche sua madre avrebbe approvato.

Tempo ridacchiò. "Tempo, dite? Ho tutto il tempo del mondo, signorina," rispose.

Fece ondeggiare languidamente la mano. Quando si sporse in avanti, il suo abito in pelle scricchiolò. "La domanda è... ne avrò per voi?"

"Sì, signore, è questa la domanda," rispose educatamente Alice.

"Promettete che sarete divertente?" chiese Tempo.

"Non saprei," ribatté Alice. "Avrei da sottoporvi un argomento piuttosto serio."

"A dire il vero io sono già una persona piuttosto seria. Io sono Tempo. L'Infinito." Guardò nel vuoto, come se stesse immaginando una folla di ammiratori. "L'Immortale... un momento, che ore sono?"

Alice si portò una mano alla bocca per soffocare una risata. Era una domanda piuttosto strana, visto che era Tempo a farsela. Per fortuna, lui non se ne accorse.

Tempo si sbottonò il panciotto e si controllò il petto, dove al posto del cuore c'era un bellissimo orologio che ticchettava. Tempo scandiva se stesso.

"Che cosa vergognosa! Che infinita ironia! Sto per tardare!" gridò.

Senza più degnare Alice di uno sguardo, saltò via dal trono e si precipitò verso una porta facendo svolazzare il lungo mantello. Lei gli corse dietro, non voleva perdere... Tempo.

A tutta velocità percorsero un corridoio senza fine, Alice dovette fare del suo meglio per star dietro alle lunghe e agili gambe di Tempo.

"Continuate così," abbaiò Tempo. "Avete sessanta secondi precisi." Poi con un'occhiata indicò la sua tasca. "Perché portate con voi quel soldato caduto?" le chiese.

Stupita, Alice si sfiorò la tasca ed estrasse l'orologio

rotto di suo padre. Come faceva a sapere che era lì?
"Questo? Apparteneva a mio padre."

Tempo lo studiò brevemente. "Uno strumento di bell'aspetto. Ma temo che il suo tempo sia ormai scaduto."

"Mio padre era un grand'uomo. Il suo orologio mi ricorda che nulla è impossibile. Non me ne separerei per nulla al mondo," replicò con fierezza Alice.

"A lungo andare tutti devono separarsi da qualsiasi cosa, mia cara," biascicò Tempo.

Prima che Alice potesse replicare, Tempo si gettò a capofitto attraverso una serie di porte e arrivò in una camera immensa.

"Guardate! Il Grande Orologio di Tutti i Tempi!" le disse con orgoglio, poi salì su una terrazza che dominava ogni cosa.

TIC-TAC, tuonò la camera, che era essa stessa l'orologio. Il pavimento era ricoperto da ingranaggi e ruote dentellate di varie dimensioni. Proprio al centro, delle scintille di luce circondavano un globo bianco rotante. La Cronosfera! Alice la riconobbe subito, pur non avendola mai vista prima.

Diversi omini meccanici si arrampicavano fra i congegni. Indossavano delle tute da lavoro e portavano degli attrezzi appesi intorno alla vita. Sembravano tutti uguali, intercambiabili... solo uno si distingueva dagli altri. Teneva sotto il braccio un blocco per gli appunti e portava degli occhialini. Corse subito su per le scale per raggiungere Tempo.

Lo salutò con fare deciso.

Tempo gli sorrise. "Come va il Tempo, Wilkins?"

"Volete la relazione lunga o quella breve, signore?" domandò il caposquadra, abbassando lo sguardo sul blocco degli appunti.

"La breve, ovvio!" rispose Tempo.

"Il Tempo c'è, signore," disse Wilkins.

Tempo batté le mani. "Benissimo. Ottimo lavoro, Wilkins! Continua così!"

Se non c'era altro da dire, Alice non capiva il senso di chiedere e fare una relazione. Il suo sguardo tornò alla camera sottostante, dove la Cronosfera crepitava di energia.

Tempo notò Alice che sbirciava dalla terrazza, ma non

interpretò correttamente la direzione del suo sguardo. Indicò gli altri omini. "Oh, quelli laggiù? Loro e Wilkins sono i miei Secondi."

All'unisono, gli omini meccanici scattarono verso Tempo e, dondolando il capo, fecero: "Tic, tic, tic, tic." Era come ascoltare un concerto di piatti che battevano tutti insieme.

Tempo sorrise soddisfatto. Poi si rivolse ad Alice. "Ogni secondo è importante, non dimenticatelo mai," disse con tono solenne.

Alice annuì, ma Tempo stava già guadagnando la porta. Decisa a restargli incollata, lo seguì, fermandosi solo un istante, per osservare il Grande Orologio e la Cronosfera. L'aveva trovata! Ora si trattava soltanto di convincere Tempo a prestargliela per un po'.

Percorsero un labirinto di corridoi e scalinate e arrivarono in un salotto caldo e accogliente. Era lo spazio più piccolo che avesse visto nel castello fino a quel momento, il camino era acceso, sulle poltrone c'erano dei morbidi cuscini.

Tempo si lasciò cadere sulla poltrona più alta.

"Adesso, potete pormi la vostra domanda. Avete un minuto esatto," sentenziò.

Alice si giocò il tutto per tutto. "Volevo parlarvi del Cappellaio. Ricorderete il Ciciarampa..."

Tempo strabuzzò gli occhi. Si scostò il panciotto e caricò le lancette dell'orologio che aveva al posto del cuore. Alice capì di avere pochi istanti e iniziò a parlare a una velocità forsennata.

"...EcconelGiornoOrristraziantehauccisolasuafamiglia. Perciò... vichiedoilpermessodiprendereinprestitolaCronosfera..."

Alice s'interruppe quando Tempo le fece un gesto brusco con la mano.

"Cosa ne sapete voi della Cronosfera?" domandò Tempo scuro in volto.

"Ma il minuto non è passato!" protestò Alice.

"Cosa ne sapete voi della Cronosfera?" ripeté Tempo con voce minacciosa.

"Gradirei prenderla in prestito," rispose Alice.

"Volete prendere la Cronosfera in prestito? In prestito!" Tempo balzò in piedi indignato, anche i suoi baffi s'irrigidirono, come se si fossero offesi. "È proprio la Cronosfera che aziona il Tempo! Non si può prendere in prestito come delle cesoie da siepe!"

"Ma..." bofonchiò Alice.

Tempo le diede le spalle e si avvicinò alla porta. La spalancò e le indicò imperiosamente l'uscita.

"Mi state chiedendo di violare le leggi dell'Universo," sibilò. "La mia risposta è no!"

"Ma..." tentò nuovamente Alice.

"Non siete per nulla divertente," disse Tempo. "Buona giornata."

Era inutile litigare con lui così come lo era stato con Hamish, ma Alice proseguì. "Io ho bisogno della Cronosfera, signore. Devo salvare il mio amico!" Tempo non riusciva a capire quanto fosse importante.

"Wilkins!" urlò Tempo. Il caposquadra arrivò in un baleno. "Saresti così gentile da scortare fuori questa intrusa?"

Alice strinse le labbra e cercò di trattenersi. Poi si inchinò e disse: "Signore, mi dispiace di avervi disturbato."

Mentre Alice gli passava accanto, Tempo le rivolse la parola un'ultima volta. "Signorina, non si può cambiare il passato," disse in tono più dolce. "Anzi, oserei dire che è proprio dal passato che si può imparare qualcosa."

"Vi ringrazio per il tempo che mi avete dedicato, signore," rispose Alice, con semplicità.

Si voltò per seguire Wilkins e abbassò la testa, prima che Tempo potesse accorgersi della scintilla di sfida che le brillava negli occhi.

VII

WILKINS SFERRAGLIAVA davanti ad Alice lungo il corridoio, poi la condusse oltre il labirinto di passaggi. Nella mente di Alice si agitavano pensieri vorticosi, non era ancora pronta a rinunciare alla sua missione. D'un tratto udì una vocetta stridula.

"Oh, tic-tac!" Con una frenata brusca e un po' cigolante, Wilkins si voltò verso Alice. Aveva il volto grigiastro e gli occhi lampeggianti. "Signorina, vi spiacerebbe raggiungere l'uscita da sola?" chiese con un tremolìo nella voce.

E prima ancora che Alice potesse annuire, il piccolo caposquadra era già scomparso in un corridoio laterale.

Quella era la sua occasione! Alice si girò e corse di nuovo nel cuore del castello. Appena sentì avvicinarsi dei passi, si nascose dietro una colonna.

Dal suo nascondiglio, vide Tempo davanti a uno specchio. Si stava sistemando nervosamente i capelli, cercando di lisciarseli. Poi si soffiò in una mano per controllarsi l'alito. Ma appena finì di togliersi della polvere immaginaria dal mantello, un lamento riecheggiò tra le mura del castello. Tempo alzò gli occhi al cielo "Ma questa giornata non finirà mai?" E girò i tacchi.

Alice lo seguì di soppiatto, Tempo era diretto in una stanza che riportava la targhetta SOTTOMONDIANI VIVENTI.

La stanza era la più strana che avesse mai visto. Milioni di orologi da tasca oscillavano appesi alle loro catene, i ticchettìi sovrastavano ogni altro rumore come il ronzìo di uno sciame d'api.

Tempo camminava tra gli orologi e d'un tratto si voltò. "Chi si è fermato?" chiese. "Chi ha ticchettato il suo ultimo tic?"

Chiuse gli occhi, drizzò le orecchie e si mise in ascolto.

"Ah," disse riaprendo gli occhi. "Altiero Altolà!"

Tempo tese il braccio e una catena scese dall'alto depositando gli orologi nel palmo della mano.

"Sì, Altiero Altolà!" Tempo confermò mentre dava uno sguardo sul nome inciso sull'orologio ormai fermo. "È finito il suo tempo." E chiuse l'orologio con uno scatto, senza troppe cerimonie.

Alice si sentì triste, immaginò un uomo il cui cuore si era fermato bruscamente.

Eppure Tempo era così sprezzante. Come ci riusciva?

Era stato altrettanto insensibile quando aveva pronunciato il nome degli Altocilindro? Si sentì ribollire di rabbia.

Senza sapere che Alice lo stesse osservando, Tempo si trasferì in una stanza contrassegnata da una targhetta: SOTTOMONDIANI DECEDUTI. Con cautela, Alice sbirciò oltre la porta. Diversamente dall'ultima, questa stanza era mortalmente tranquilla. Il silenzio era intenso quasi come un urlo improvviso.

Tempo avanzò lungo una fila ordinata di orologi da tasca. Mentre camminava, leggeva i nomi. "Altobuono,

Altocielo..." D'un tratto si fermò come se qualcuno mancasse all'appello, poi fece spallucce e proseguì. "...Altocirco... ah, Altolà."

Con inaspettata dolcezza, Tempo appese con cura l'orologio e accarezzò il quadrante. "Spero che tu abbia usato bene il tuo tempo. Buonanotte," disse con un filo di voce.

Alice si ammorbidì un po'. Forse Tempo non era poi così crudele.

D'un tratto, un rumore di passi proveniente da una sala poco distante la fece trasalire. Appostata dietro una colonna, vide un'ombra allungarsi sul pavimento. Si stava avvicinando. Alice si sforzò di capire che cosa avesse di strano.

Non appena si rese conto che quella figura aveva una testa enorme, rimase impietrita dalla paura: la Regina Rossa! Che cosa ci faceva lì? Dunque, era per lei che Tempo si stava facendo bello poco prima? Ma Iracebeth non era stata esiliata insieme al suo fante Stayne?

Quando i passi si allontanarono, Alice, dal suo nascondiglio, diede un'altra occhiata. Era proprio

Iracebeth: se non altro la sua testa, già smisurata, non era cresciuta dall'ultima volta che l'aveva incontrata. Attraversava il corridoio con sicurezza, come se fosse la padrona di casa, Wilkins e un gruppo di Secondi le trotterellavano appresso.

La mente di Alice era in subbuglio. Ovunque andasse, la Regina Rossa creava un numero infinito di problemi. Alice si mise a correre verso la Camera del Grande Orologio. Non poteva più aspettare.

Tempo si precipitò nel suo salotto e mise sottosopra un cassetto. Scovò una bottiglia di colonia, quella preferita dalla sua adorata, e si spruzzò il profumo addosso. Quell'essenza stucchevole gli tolse quasi il respiro. Si mise a tossire, riavvitò la bottiglia e la ripose. Sentì bussare alla porta con insistenza. Era lei! "Arrivo, amor mio!" disse affrettandosi ad aprire.

La Regina Rossa entrò con passo indolente e tese la mano. Con un inchino ossequioso, Tempo le diede un bacio servile sulla pelle delicata.

"Oh, mia radiosa! Splendido volto a quadrante,

bulbosa di capo e tenera di cuore," disse rapito. "Siete il mio faro nella notte!"

Iracebeth gli sorrise con indulgenza. Adorava essere venerata. Per colpa della sua orribile sorella, ora non aveva più una corte di nobili pronti a riverirla.

Lui la guardò per un attimo, poi corse a prendere un piccolo carillon.

"Ecco," disse mentre le porgeva quell'oggetto delicato. "Un dono... anzi, no, un tributo!"

Il volto di Iracebeth s'illuminò. La regina tremò lievemente quando ebbe il carillon tra le mani.

"Oh caro, il mio vecchio tic-tac," commentò.

Quando girò la manovella, si udì una dolce melodia. Il coperchio del carillon si aprì, ma invece di una ballerina o di una coppia d'innamorati danzanti, comparve una scena alquanto sinistra: la statuina di un re piegata in avanti con la testa posata su un ceppo e con un boia che lo sovrastava.

Il boia alzò l'ascia, decapitò il re e la sua testa rotolò nel cesto di fronte al ceppo. Quando la musica si arrestò, l'ascia e la testa tornarono al punto di partenza.

Tempo osservò Iracebeth. "So quanto voi amiate queste piccole cose," disse con una nota speranzosa nella voce.

Tenendo stretto a sé il carillon, Iracebeth esclamò: "Lo conserverò gelosamente, per sempre!" Ma solo un attimo dopo, lo gettò a terra. Tempo sussultò. Con un sospiro melodrammatico, la Regina Rossa si allontanò volteggiando e alzando gli occhi al cielo.

"Vi preoccupa qualcosa, cara?" domandò Tempo.

Iracebeth lo squadrò e gli sfiorò il braccio con un dito. "Voi sapete cosa desidero," sussurrò. "Col mio smisurato cervello e la vostra minuscola Cronosfera potremmo dominare il passato, il presente e... il futuro!"

A quelle parole, Tempo sussultò. "Mia cara Iracebeth," disse. "Vi ho spiegato tante volte che non è possibile. Non si può cambiare il passato."

Iracebeth assunse un'espressione disgustata, la pelle di porcellana del viso avvampò. Lei si sarebbe impossessata di quella Cronosfera, a qualsiasi costo. Né la sorella, né i suoi amici avrebbe potuto ostacolarla. Era decisa a rimediare a tutti gli errori del passato e ad assicurarsi un futuro migliore. Il tempo sarebbe stato suo!

La Camera del Grande Orologio era deserta, Alice immaginò che Wilkins e i Secondi fossero in un'altra ala del castello o insieme all'esigente Regina Rossa.

Dalla terrazza, guardò l'Orologio. Ingranaggi di varie dimensioni giravano su livelli diversi azionando delle cinghie che scorrevano intorno alle bobine. Queste ultime, a loro volta, muovevano i pendoli. Al centro del meccanismo, pulsava la luce argentea della Cronosfera.

"La Cronosfera," mormorò Alice.

Scese le scale e s'incamminò lungo una trave, verso la sua prima sfida: una serie di pendoli in movimento. Si fermò e misurò mentalmente la distanza che la separava da quello più vicino.

Con un salto quasi impossibile vi si aggrappò, tenendo le braccia strette intorno al metallo scivoloso. Poi si lasciò trasportare verso il pendolo successivo. Alice si diede la spinta con le gambe e saltò di nuovo. Ripeté quell'azione più e più volte.

Di pendolo in pendolo, si stava lentamente avvicinando alla Cronosfera. Quest'ultima brillava in lontananza, sembrava ammiccarle.

Girava così rapidamente che le fasce metalliche che la avvolgevano, non si distinguevano quasi.

CRACK! La porta della camera si aprì e i Secondi di Tempo entrarono in fila uno dopo l'altro.

Poi presero a fischiare tutti insieme, come per dare l'allarme.

Successivamente si divisero in gruppi di sessanta, salendo uno sopra l'altro in modo da formare delle figure più grandi e minacciose.

"I Secondi sono diventati Minuti," osservò Alice prima di abbandonare l'ultimo pendolo e passare sul bordo di una ruota girevole. Doveva sbrigarsi: a ogni secondo i Minuti aumentavano, si spostavano tra i vari meccanismi con salti acrobatici.

Alice afferrò una catena e la usò per lanciarsi attraverso gli ingranaggi. Atterrò tra una serie di ruote dentellate che giravano in senso alternato. Dietro le ruote, riusciva a intravedere la Cronosfera la cui luce era diventata ancora più brillante.

Quando i Minuti stavano per raggiungerla, Alice saltò sopra una delle ruote dentellate e cominciò a correre in senso opposto a quello dell'ingranaggio; poi saltò sulla successiva.

I Minuti la tallonavano. Alcuni, più veloci degli altri, l'avevano quasi raggiunta ma furono sbalzati per aria dalle ruote girevoli. Alice non si fece distrarre e rimase concentrata sui suoi propositi. Guardò un grosso tubo rotante che circondava la Cronosfera, mentre i Minuti dietro di lei aumentavano a vista d'occhio.

Non ci pensò due volte, tese i muscoli e si lanciò nel tubo.

TUMP! Scivolò, le pareva di stare su una giostra che aveva perso il controllo. Il tubo girava e girava e lei veniva sballottata in ogni direzione. Con uno sforzo sovrumano, Alice fece una capriola, atterrò in piedi e cominciò a correre alla stessa velocità del tubo.

TUNK! TUNK! TUNK! I Minuti atterrarono all'esterno del tubo, sopra di lei.

Alice accelerò. I Minuti, nella direzione opposta, correvano alla sua stessa velocità. Si trovavano in una situazione di stallo: lei non poteva fuggire e loro non riuscivano ad avvicinarsi.

"È assurdo," balbettò Alice, che si fermò di colpo. Quell'arresto improvviso fece schizzare il tubo verso l'alto. I Minuti vennero sbalzati in aria e cominciarono a strillare. Alice poté uscire dal tubo indisturbata. Ormai era vicina alla meta: la Cronosfera luccicava a breve distanza. All'improvviso il suo cuore le balzò nel petto: c'era ancora un ostacolo.

SBAM! Davanti a lei si abbatté un martello enorme, seguito da molti altri. Doveva riuscire a superare quel labirinto di stanghe assordanti, se voleva salvare il suo amico.

VIII

L'UMORE DELLA REGINA ROSSA stava raggiungendo il punto di ebollizione. A che cosa le serviva corteggiare Tempo se lui non era disposto a cambiare le regole per lei? Tempo era immensamente potente, ecco uno dei motivi per cui aveva cominciato a frequentarlo. Anzi, quella era la sola e unica ragione.

In preda alla disperazione, Tempo spalancò le ante di un armadio del salotto, dove custodiva i suoi tesori... oggetti accumulati per oltre un millennio. Sugli scaffali erano stipate cianfrusaglie di ogni tipo, dai fagioli magici, ai rari uccelli dodo.

"Mia cara, per te mi separerei volentieri da qualunque cosa" disse Tempo mostrando a Iracebeth il prezioso contenuto dell'armadio. Uno dei dodo fece un verso stridulo e gli diede una beccata sulla mano.

Iracebeth sbuffò indignata. Aveva già visto quei gingilli, per lei non avevano nessun valore.

"Ma, credetemi, non posso darvi la Cronosfera!" esclamò Tempo.

"Lo fareste se mi amaste davvero," disse Iracebeth mettendo il broncio.

"Ma sì che vi a..." la voce di Tempo si incrinò e un tremore incontrollabile gli attraversò il corpo. Si guardò il petto e spalancò gli occhi per l'orrore.

"Il Grande Orologio," mormorò. E senza più badare a Iracebeth, fuggì via.

La Regina Rossa era attonita. Nessuno poteva piantarla in asso, neanche Tempo! Schioccò la lingua e si precipitò dietro di lui.

Alice esitava davanti ai martelli giganti. Uno dei Minuti balzò in avanti per proteggere la Cronosfera. Ma anche le unità di tempo potevano sbagliare. Il martello gli piombò addosso e lo divise in Secondi che si sparsero tra tutti gli ingranaggi.

Alice tremò: il tempo non risparmiava nessuno. Con un respiro profondo, memorizzò la disposizione e il movimento dei martelli e si affidò ai suoi riflessi.

Un passo, ferma, due, tre, quattro, salta, salta, ferma, setto, otto, salta.

CRACK! Alle sue spalle, Alice udì il rumore di altri Minuti che venivano ridotti in frammenti più piccoli.

Sgusciò tra gli ultimi martelli e, per non cadere, afferrò una delle fasce metalliche che avvolgevano la Cronosfera.

Dopo essersi accertata di essere rimasta tutta intera, Alice emise un sospiro di sollievo.

Proprio allora, Tempo piombò nella stanza seguito da Iracebeth. Gridando corse subito in aiuto del Grande Orologio.

Alice allungò le dita verso la Cronosfera che brillava e scoppiettava violentemente. Ci tuffò dentro una mano. Quella smise di girare, ma continuò a risplendere e a emanare calore.

Con uno strattone, Alice la sollevò e se la portò al petto. Separata dal Grande Orologio, la Cronosfera cominciò a raffreddarsi.

"No!" esclamò Tempo crollando sulle ginocchia e portandosi una mano sul cuore.

Iracebeth lo guardò con aria seccata. "Insomma, qual è il tuo problema?" gli chiese.

Tremando, Tempo indicò il Grande Orologio, là dove Alice si apprestava a tornare.

"La Cronosfera," mormorò Tempo.

"Alice?" Irecebeth era stupita. L'insopportabile paladina di sua sorella era l'ultima persona che si aspettava di vedere.

Incurante della regina, Alice infilò la Cronosfera in tasca e si arrampicò su una trave. Dietro di lei, i Minuti iniziarono a prendersi per mano e si riunirono fino a formare una mastodontica bestia meccanica.

"È arrivata l'Ora," sentenziò Alice, aumentando l'andatura. Era in bilico, doveva fare attenzione.

L'Ora avanzò verso di lei facendo tremare il suolo. La trave su cui si trovava Alice oscillò. Nel tentativo di rimanere in equilibrio, Alice si inarcò, saltò e atterrò con un tonfo.

Nell'impatto con il terreno, la Cronosfera rotolò fuori dalla sua tasca e rimbalzò via.

Alice faticò non poco a restare dritta sulle gambe. La sfera cominciò a lampeggiare e a ruotare su se stessa. Pian piano s'ingrandì sino a raggiungere le dimensioni di una carrozza. Tra le sue fasce dorate, ormai dilatate a dismisura, si aprì un varco.

FRUSH! L'enorme braccio dell'Ora oscillò nell'aria, Alice rotolò su un fianco, giusto in tempo. Quando si rimise in piedi, vide le mani dell'Ora avvicinarsi e senza pensarci troppo si tuffò tra le fasce rotanti della Cronosfera.

Al suo interno, c'erano quadranti, leve, carrucole e catene. Appesa a una di queste c'era una cartello: TIRAMI.

Cos'altro avrebbe dovuto fare?

Alice tirò.

La Cronosfera barcollò in avanti.

"Perché mai ho scritto quell'istruzione?" gemette Tempo. Iracebeth lo guardò con sdegno. Intanto Alice, a bordo della Cronosfera avanzò a singhiozzo oltre la porta, fino al corridoio principale del castello.

L'Ora seguì la fuggitiva con passo pesante, Tempo e Iracebeth si accodarono affannati.

Appena si trovò nell'ingresso, la Cronosfera andò a sbattere più volte contro le colonne. Alice tirò svariate leve e catene nel tentativo di guidarla, poi guardò indietro e vide l'Ora.

Incrociando le dita, tirò una leva, la Cronosfera arretrò e... *BUUM!* andò a sbattere in pieno contro l'Ora.

I Minuti volarono ovunque. "Ah! Ah! Ah!" Alice rise trionfalmente, almeno fino a quando non vide i Minuti strisciare nuovamente verso di lei.

Spinse altre leve e accese alcuni interruttori, le fasce della Cronosfera iniziarono a girare più rapidamente fendendo l'aria con un ronzio assordante. Tutto l'abitacolo iniziò a vibrare, alcune viti minacciarono di saltare via; Alice non poté fare altro che aggrapparsi a una maniglia, piegandosi in due per lo sforzo.

Tempo e Iracebeth corsero verso i Minuti che si stavano raggruppando. Ma non appena Tempo vide pulsare la Cronosfera, capì che era troppo tardi. "No!" gridò.

PUF! Alice e la Cronosfera scomparvero.

IX

"ASPETTA! TORNA QUI!" gridò Tempo invano. Crollò su se stesso, con la testa tra le mani.

Chiusa in un silenzio furioso, la Regina Rossa lanciò uno sguardo nel punto in cui Alice si era dileguata. Quell'irritante ragazza aveva preso la sua Cronosfera. I suoi piani erano sfumati.

Tempo, tutto tremante, andò a controllare il Grande Orologio. Studiò la situazione all'interno della camera. I pendoli oscillavano ancora; i meccanismi, in apparenza, si muovevano come di consueto, ma lui percepì una netta differenza.

Iracebeth lo raggiunse, aveva il volto rosso di rabbia. "Alice?" strillò. "Quell'Alice? Quella che mi ha fatto

bandire dal mio regno? Lei era qui e non me lo avete detto?"

Tempo arretrò. "Io... Io... non pensavo," balbettò.

Iracebeth si avvicinò e si fermò a un centimetro dalla sua faccia. La regina sporgeva il mento e teneva le mani strette a pugno lungo i fianchi.

"Idiota! Imbecille! Avete lasciato che Alice rubasse la Cronosfera!" urlò.

Tempo barcollò, prese a torcersi le basette in una posa quasi ridicola.

"Le avevo detto chiaramente che non poteva prenderla," disse disperato. "Non sa nemmeno quello che ha fatto..."

Con un grido di collera, Iracebeth uscì dalla camera. Avrebbe dovuto inventarsi un nuovo sistema per vendicarsi di sua sorella e riprendersi il trono che le spettava di diritto.

Solitamente, Tempo aveva per sé tutto il tempo del mondo, ma ora non ne era più certo. E di sicuro ora non aveva tempo per preoccuparsi della sua amata. Sentì una fitta al petto. Si aprì il panciotto ed esaminò l'orologio che aveva al posto del cuore; sulla lancetta dei secondi si era formata una piccola macchia di ruggine.

Tempo impallidì. "Sta già succedendo," ansimò. "Senza la Cronosfera, il Grande Orologio perderà colpi! E poi mi fermerà!"

Non poteva permettere che accadesse, doveva allontanarsi da lì e farsi sostituire da Wilkins, non aveva altra scelta. Avrebbe viaggiato nel passato e fermato Alice.

"Wilkins," chiamò a gran voce. "Vieni qui! Dobbiamo costruire un Tempus Fugit."

Il piccolo caposquadra si diede subito da fare. Portò pezzi di ricambio di orologio e assi di legno d'ogni sorta, il necessario per creare una macchina del tempo rudimentale.

Tempo batté le mani. "Cominciamo, non ci vorrà molto," disse rinfrancato.

In un secondo, muovendo le mani a velocità straordinaria, Tempo montò insieme ingranaggi metallici, barre di legno e una stretta piattaforma.

Quando ebbe terminato, fece un passo indietro per

ammirare il suo marchingegno. Una molla cigolò in modo sinistro e una delle barre si ruppe.

"Splendido!" proclamò. "Tanto non serviva." Non appena Tempo salì sulla piattaforma, il legno gemette in segno di protesta. Wilkins guardò la macchina. Avrebbe voluto che al suo posto ci fosse stata la Cronosfera, ma in quel caso, non si sarebbero trovati in un tale pasticcio. Tempo azionò una leva e spinse fuori dell'aria.

"Allora, Wilkins!" si raccomandò. "Sai già come funziona il tempo: va sempre avanti e mai indietro! Meglio se un minuto alla volta."

"Sì, signore," ribatté l'obbediente Wilkins.

"È necessario che tu mantenga costante il ticchettìo del Grande Orologio," aggiunse Tempo. "Augurami buona fortuna, Wilkins. Dove ha detto che voleva andare quella ragazza?" Poi azionò una carrucola e il Tempus Fugit si dileguò.

Un fascio di luce argentea avvolgeva la Cronosfera e la trasportava lontano dal castello.

Al di sotto, ondeggiava dolcemente un oceano di

momenti passati. Alice cominciò subito a perlustrare l'abitacolo per capire meglio come effettuare le manovre.

Non era molto diverso dal Wonder. Al pensiero del suo amato vascello, sentì una fitta dolorosa. Chissà se avrebbe navigato ancora?

Alice scacciò i pensieri tristi e preferì concentrarsi sulla situazione attuale... o, meglio, su certi fatti del passato. Con un tocco leggero, spinse in avanti una leva.

Guardò in basso verso l'oceano. Alice vide se stessa penzolare dalla lancetta dei secondi fuori dal castello di Tempo e poi precipitare sulla lancetta dei minuti.

Era soddisfatta, stava andando nella direzione giusta. Più avanti, vide la Regina Bianca e i suoi amici intorno al tavolo fuori dal Castello di Marmorea. Un'Alice molto più piccola sedeva tra loro.

"Cosa succede?" stava chiedendo l'Alice del passato.

"Il problema è il Cappellaio," rivelava il Bianconiglio.

La Cronosfera portò Alice più lontana dalla scena precedente e più indietro nel tempo. Quando sotto di lei eventi e volti presero a sfrecciare sempre più rapidamente, Alice cominciò a preoccuparsi.

Come avrebbe fatto a trovare il giorno giusto? Poi all'orizzonte apparve un lampo di fuoco seguito dall'implacabile grido del Ciciarampa.

"Il Giorno Orristraziante," mormorò Alice. Con rapide manovre, portò la Cronosfera dritta nel cuore di quell'infausto giorno. La macchina atterrò con un sussulto e Alice fu sbalzata fuori.

Si rialzò da terra, si tolse di dosso qualche ciuffo d'erba e alzò la testa. La Cronosfera, a pochi passi da lei, cominciò piano piano a rimpicciolirsi sino a quando Alice poté raccoglierla e metterla in tasca. Poi Alice si sedette e diede un'occhiata in giro.

Una bella festa in una radura si era trasformata in un giorno Orristraziante. Nuvole di fumo si alzavano dalle bancarelle annerite e un odore acre e pungente aleggiava su tutto.

A qualche passo di distanza, Alice notò per terra un cappello a cilindro con la falda coperta di braci ardenti; era evidente che il Ciciarampa aveva già fatto la sua incursione.

Cercò un segno di vita e scorse poco più in là una

figura con le spalle curve dalla sua capigliatura inconfondibile.

"Cappellaio?" accennò Alice.

Ma il giovane Cappellaio non sentì il suo richiamo e fuggì via, con le lacrime agli occhi.

Alice fece per inseguirlo, quando udì un pesante rumore di zoccoli: era Stayne, il fante di Iracebeth. Aveva un occhio coperto da una benda rossa a forma di cuore. In una mano teneva un piccolo sacco con dentro qualcosa che si agitava; nell'altra brandiva la spada Bigralace, lucidissima, nonostante l'aria fosse densa di cenere.

Alice si nascose dietro una siepe e rimase a osservarlo furibonda mentre galoppava fino in cima a una collina, accanto a Iracebeth.

La Regina Rossa sorrideva soddisfatta del lavoro svolto dal Ciciarampa. Diede un bacio sulla guancia a Stayne e poi scomparvero insieme a lui dietro la collina.

Alice avrebbe voluto affrontare entrambi, ma si trattenne e tornò invece tra le bancarelle distrutte.

C'erano cumuli di macerie fumanti ovunque, l'albero della cuccagna si era spezzato a metà e i tavoli da picnic erano coperti di cenere. Il terribile soffio del Ciciarampa aveva trasformato il prato in un campo brullo e carbonizzato, compresa la zona in cui si era sistemata la famiglia del Cappellaio nella scena evocata da Mirana alla fontana.

Alice fu colta dalla disperazione, non c'era alcuna possibilità che gli Altocilindro fossero sopravvissuti.

"Troppo tardi," disse tormentandosi la stoffa del vestito. "Sono arrivata troppo tardi!"

Non c'era più nessuno, a eccezione di un animale solitario.

Assomigliava a un maiale. Succhiava avidamente il liquido che sgocciolava da un barile pieno di pozione mezza-stazza. Quando fu sazio si allontanò e lungo la via iniziò a rimpicciolirsi.

Un attimo dopo, l'attenzione di Alice fu catturata da qualcosa che spuntava dalla cavità di una vecchia quercia. Incuriosita, si avvicinò e guardò meglio. Era un cappellino di carta azzurra che, a dispetto delle fiamme, era rimasto intatto. Di lato aveva una piuma di un bel rosa intenso.

"Il cappellino azzurro!" esclamò Alice, tese la mano per prenderlo.

"Se fossi in te non lo farei!" avvertì una voce.

Era il Brucaliffo che, tornato bruco, se ne stava disteso su un albero, lì vicino.

"Brucaliffo, sei di nuovo... il vecchio tu!" disse.

"Sono sempre il vecchio me," rispose il bruco con tono di sufficienza.

Indicò il cappellino. "Possibile che nessuno ti abbia spiegato come comportarti?"

Alice gli si accostò. "Tornerò ancora una volta, poco prima che il Giorno Orristraziante abbia inizio!" dichiarò.

Il Brucaliffò s'infuriò. "Puoi visitare ogni giornata solo una volta al dì. Le conseguenze sarebbero catastrofiche, se tu ti rivedessi," commentò lapidario.

Imbronciata, Alice si tolse di tasca la Cronosfera e la esaminò attentamente. "Potrei tornare indietro solo fino a ieri e dire loro di non venire qui, oggi!"

"Temo, Alice, che tu non abbia afferrato i princìpi ai quali insistentemente alludevo," disse il Brucaliffo.

"Ma di che cosa parli?" gli chiese Alice. E prima che lui potesse spiegarsi meglio – sempre che avesse avuto intenzione di farlo – si udì uno scoppio. Alice alzò bruscamente lo sguardo e vide qualcosa che squarciava il cielo. Poi scorse un curioso trabiccolo con Tempo a bordo.

Manovrando un timone, Tempo si precipitò verso Alice urlando: "Datemi quello che è mio!" Era furioso. "Non avete la minima idea di quello che state combinando!"

"Oh cielo!" intervenne il Brucaliffo. "Devi avere infastidito qualcuno. Faresti meglio a dartela a gambe, possibilmente in fretta."

Tante grazie, pensò Alice. *Se non me l'avessi detto tu non ci sarei mai arrivata.*

Ma il Brucaliffo aveva ragione; se voleva avere un'altra possibilità di salvare gli Altocilindro, doveva allontanarsi da Tempo.

Gettò la Cronosfera a terra e ci saltò dentro non appena si espanse. Con un paio di manovre, prese il volo e la diresse su, su, su, sempre più lontano.

X

PER USCIRE IN TUTTA FRETTA dal Giorno Orristraziante, Alice riportò la Cronosfera tra le correnti del cielo che sovrastavano l'Oceano del Tempo. Il Tempus Fugit la seguiva a qualche secondo di distanza.

Tempo accelerò e si avvicinò ad Alice. Lei spostò una leva e virò a sinistra, ma Tempo fu più rapido. Mentre la raggiungeva, le gridò: "Non potete vincere una corsa contro Tempo! Ridatemi la Cronosfera, sarò indulgente."

Alice notò che Tempo manovrava il suo veicolo con grande fatica, ansimava e aveva la fronte imperlata di sudore. Sembrava molto provato. Alice cercò di approfittarne e portò la Cronosfera in alto e verso destra con

un'unica manovra. Aveva bisogno di rimanere un passo più avanti di Tempo.

"Ma adesso dove sarà la giornata di... ieri?" si chiese, mentre scrutava l'oceano sotto di lei. Le immagini formavano onde infinite, non riusciva a individuare quella che l'avrebbe portata all'inizio del Giorno Orristraziante. D'un tratto si spazientì.

Ansimando e sbuffando, Tempo era riuscito a raggiungerla di nuovo.

Alice aumentò la potenza, fece alzare la Cronosfera in verticale, poi virò dietro al Tempus Fugit.

Tempo era stanco, scoraggiato. "Non sapete cosa avete fatto!" gridò disperato.

Alice azionò una leva e la Cronosfera accelerò di nuovo. Ma all'improvviso accadde qualcosa che non aveva previsto: prima che potesse di nuovo cambiare rotta, la Cronosfera si scontrò con il Tempus Fugit provocando un boato assordante. Le due macchine si allontanarono rapidamente.

La Cronosfera precipitò verso un giorno del passato e il Tempus Fugit cadde in un'altra parte dell'oceano.

Capitolo Dieci

Mentre atterrava, Alice vide il bagliore dorato del sole che le ondeggiava davanti, poi udì un rumore assordante. *BRRRRUUUMM!* La Cronosfera si dirigeva verso un giorno del tempo passato tagliando l'aria con uno stridore acuto.

BUUM! Quando la sfera toccò il suolo iniziò a rotolare e Alice con lei; dall'abitacolo vedeva il mondo girare, gli alberi sembravano crescere verso il basso, le nuvole fluttuavano sotto i suoi piedi.

La sfera si fermò finalmente contro una roccia.

Stordita, Alice rimase ferma per un attimo, giusto il tempo di riprendersi, poi con calma uscì all'aperto. Controllò l'orologio di suo padre: era ancora fermo, ma aveva solo una nuova piccola crepa sulla cassa.

Sospirò tristemente e lo ripose nuovamente in tasca insieme alla Cronosfera che, nel frattempo, si era rimpicciolita. Aveva sperato di sentirlo ticchettare come una volta, sarebbe stato il segnale che era tornata in un momento del passato in cui suo padre era ancora vivo. Ma forse il tempo – o Tempo – non voleva che ciò accadesse.

Alice si guardò intorno. Si trovava ai margini di

un villaggio pittoresco che confinava con la Foresta di Tulgey.

Le case avevano i tetti di paglia o tegole ed erano tutte curiosamente inclinate, come se agli architetti che le avevano progettate non piacessero le linee dritte. Nonostante il loro aspetto un po' precario, Alice dovette ammettere che il risultato finale era grazioso; quella stravagante cittadina pareva più accogliente dei quartieri ordinati e soffocanti di Londra.

"Dove mi trovo?" si chiese. "E dove saranno gli Altocilindro?"

PEPPEREPEEEÈ! In lontananza risuonarono degli squilli di tromba. Alice seguì quel suono.

Mentre camminava per le strade della cittadina si accorse che i palazzi erano addobbati per qualche occasione speciale, diversa dalla festa del Giorno Orristraziante che si era svolta nella radura.

Alle finestre sventolavano bandierine; nei vicoli erano state allestite numerose bancarelle; in una piazza, dei carri pieni di fiori circondavano la statua di un re.

Su un ponte, una lunga fila di persone e strane

creature si avviava verso un castello di pietra rossa. Alice si accodò e poco dopo si ritrovò in uno splendido salone con soffitti a volta che le ricordavano quelli di una cattedrale. La luce del sole filtrava dalle finestre ad arco. Di fronte c'erano quattro figure sedute su un palco.

Alice rimase a bocca aperta. Due di loro erano Mirana e Iracebeth, molto più giovani d'aspetto, sembravano avere pressapoco la sua età. La testa di Iracebeth era davvero enorme, ben più grande di quando l'aveva vista l'ultima volta. A giudicare dalle corone, gli altri due dovevano essere i genitori delle due sorelle: Re Oleron e la Regina Elsmere.

Mirana le aveva parlato di suo padre e sua madre molto brevemente, Alice conosceva soltanto i loro nomi. Entrambi sorridevano amabilmente agli abitanti del villaggio venuti ad ossequiarli.

Alice si alzò sulle punte e scrutò tra la folla: sperava d'individuare una chioma rossa. D'un tratto altre persone salirono sul palco: con grande sorpresa Alice si rese conto che tutti gli Altocilindro, Cappellaio compreso, si erano disposti accanto alla famiglia reale.

Ora, non le restava che avvicinarsi e attendere il momento giusto per parlare con loro. Si fece largo tra gli spettatori e raggiunse una posizione migliore. Vide Zanik Altocilindro porsi alle spalle di Mirana.

Zanik le posò sul capo una piccola tiara e scoppiò un fragoroso applauso. Mirana, vestita di bianco, sorrise a tutti con dolcezza, mentre sul viso di Iracebeth si dipinse una smorfia di disgusto.

"E ora, ecco a voi," annunciò Re Oleron, "la principessa Iracebeth."

Dev'essere la cerimonia d'investitura delle due principesse, dedusse Alice.

Zanik allungò le mani verso il figlio che gli tendeva una grossa cappelliera. Zanik sollevò delicatamente una tiara gigantesca. Prese posto dietro Iracebeth e cerimoniosamente gliela pose sul capo.

Ma... non le stava!

La testa di Iracebeth era troppo grande. Zanik provò più volte ad adattargliela, ma non c'era niente da fare. La folla iniziò a mormorare, il giovane Cappellaio tentava di soffocare le risa.

"Mi state mettendo in ridicolo!" sibilò Iracebeth a Zanik.

Se la principessa non fosse stata così antipatica, Alice avrebbe anche potuto dispiacersi per lei. Il Cappellaio non riuscì a resistere alla comicità della situazione e scoppiò a ridere apertamente; suo padre, intanto, continuava a trafficare sulla gigantesca testa di Iracebeth.

"Sbrigatevi!" esclamò impaziente Iracebeth.

Zanik faceva del suo meglio, poi spinse la tiara con forza. E questa si spaccò in due.

Perle e pietre preziose rotolarono giù dalla pedana. Il loro tintinnìo era l'unico rumore udibile.

Dopo alcuni istanti di gelo, gli abitanti iniziarono a bisbigliare.

"Quella testona ha rotto la corona!" strillò qualcuno.

Ovunque scoppiarono risate fragorose. Iracebeth strinse le mani a pugno e arrossì. Alice vide che aveva gli occhi pieni di lacrime e per un attimo provò pena per lei. Trovarsi di fronte a tanta gente che si comportava senza rispetto doveva essere terribile!

"Silenzio!" ammonì Iracebeth. "Il prossimo che ride, non riderà mai più!"

La solidarietà che Alice aveva appena provato svanì in un lampo. Quella era proprio la Regina Rossa che conosceva, irragionevole e tagliateste.

"Ti prego, Iracebeth!" intervenne la madre. "Come puoi impedire alla gente di ridere?"

A quelle parole le risate si placarono. La principessa Iracebeth abbassò gli occhi verso la punta delle sue scarpine a forma di cuore.

"Provate con un sacco di patate!" si udì da qualche parte.

"Se ne trovate uno che le entri!" aggiunse un'altra voce.

Iracebeth drizzò la schiena, fremente di rabbia.

"Tagliategli la lingua!" strillò. "Tagliategli le orecchie! Tagliategli... la testa! Tagliategli la testa!" disse indicando minacciosa, a uno a uno, coloro che si erano presi gioco di lei.

Ad Alice era già capitato di sentire quelle parole ma, evidentemente, per tutti gli altri era la prima volta.

Nel salone piombò un silenzio attonito.

Preoccupato, Re Oleron si alzò dal trono. "Finiscila, Iracebeth!" ordinò.

Capitolo Dieci

La principessa con la mano che ancora indicava la platea, continuava astiosa a scrutare la folla. Suo padre le si avvicinò.

Con gentilezza, ma anche fermezza, il re le abbassò la mano. Nei suoi occhi Alice poteva scorgere la delusione.

"Iracebeth di Saggezzandia. Avevo sempre sperato che un giorno avresti mostrato le qualità necessarie per diventare regina com'eri destinata sin dalla nascita. Con estremo disappunto devo constatare che quel giorno non arriverà mai."

"Ma, padre..." intervenne Iracebeth con la voce rotta. Il re scosse la testa e si volse verso il pubblico. "Popolo di Saggezzandia, decreto che alla nostra scomparsa, la corona passi alla principessa Mirana."

Dal suo posto, Mirana sobbalzò, nel salone si udirono esclamazioni di stupore.

L'espressione di Iracebeth passò dalla rabbia all'incredulità.

"Ma la primogenita sono io! Non è giusto!" esclamò.

"Sei destituita," disse Re Oleron. Poi si voltò, come se la figlia più grande non ci fosse più.

"Lei è sempre stata la tua preferita!" lo accusò Iracebeth riferendosi a Mirana.

"Non è vero, mia cara," intervenne la Regina Elsmere, ma la principessa era troppo arrabbiata per ascoltarla.

"Vi odio," sbottò. "Vi odio tutti!"

Proprio dinnanzi agli occhi di Alice, la testa di Iracebeth cominciò a espandersi, come fosse un pallone che qualcuno stava gonfiando.

Iracebeth si prese il cranio tra le mani e si diresse di corsa verso le scale del palco, ma prima di scendere si fermò. "Zanik Altocilindro," disse con voce astiosa. "Non dimenticherò mai quello che voi e la vostra famiglia mi avete fatto oggi. Mai!"

Mirana si precipitò ad afferrare il braccio della sorella.

"Iracebeth, per favore," disse Mirana nel tentativo di placarla.

Iracebeth si divincolò. "Con te non parlo!" esclamò. "È solo colpa tua!"

Alice trovò che questa affermazione fosse ridicola. Che colpe poteva avere Mirana?

Capitolo Dieci

Mirana inseguì la sorella che lasciava il salone pestando i piedi per terra.

Il re e la regina si scambiarono sguardi preoccupati, poi si ritirarono.

Terminata l'incoronazione, la gente iniziò a sfilare fuori dal castello, Alice, invece, si mise in cerca degli Altocilindro. Poco distante vide Zanik che discuteva con suo figlio.

Il Cappellaio sbatteva gli occhi con aria innocente. "Ho solo fatto una risata, papà!" disse. Poi alzò le mani come se stesse stringendo una grossa zucca. "La sua testa è così voluminosa! Non ho potuto farne a meno!"

"Hai fatto perdere la corona alla principessa!" replicò Zanik. "Sai cosa significa per tutti noi?"

"Perché non sono mai abbastanza bravo per te?" chiese il Cappellaio.

"Sei una tale delusione!" commentò Zanik.

Il Cappellaio si zittì per un momento. Alice trattenne il respiro, sapeva bene cosa poteva significare la disapprovazione di un genitore.

"Ebbene," riprese il Cappellaio con voce misurata.

"Visto che sono una delusione, penso non ti dispiacerà se me ne vado."

"Tarrant, no!" gridò la madre precipitandosi tra i due uomini. "Per favore, Zanik, digli di restare con noi!"

"Se fosse un cappellaio degno del nome degli Altocilindro, dovrebbe dimostrare di essere saggio, disciplinato, prudente, puntuale, preciso." Fece una pausa. "Tutte qualità che purtroppo non gli appartengono."

Alice sospirò. Zanik aveva torto, non aveva mai conosciuto un cappellaio migliore e più creativo di Tarrant. Ma Zanik restò fermo sulle sue convinzioni. Il Cappellaio si liberò dalla stretta della madre e marciò a testa alta fuori dal castello.

XI

NELLE TORTUOSE vie di Saggezzandia, persone e creature si riunirono a gruppetti per commentare ciò che era accaduto durante l'incoronazione. Alice zigzagava tra la folla, tentando di non perdere di vista il Cappellaio che si muoveva agilmente davanti a lei.

"Scusate, scusate..." diceva a tutti. Poi d'un tratto chiamò: "Tarrant?"

Il Cappellaio si voltò, sembrava ancora molto teso e amareggiato. Alice lo strinse in un abbraccio, per consolarlo. Lui la guardò confuso.

"Sei tu? Sì sei tu!" disse Alice. "Sei assolutamente tu, ti riconoscerei tra mille!" esclamò ripetendo le parole del Cappellaio... d'un tempo.

"Mi rincresce," replicò lui. "Ci conosciamo?"

Alice si ritrasse un attimo. "Sì! Cioè, no! Voglio dire, non ancora! Sono Alice."

"Strano, ho l'impressione di conoscervi." Il tono del Cappellaio era quello cui lei era abituata.

"Infatti! Ci siamo già conosciuti..." spiegò Alice, "... quando ero piccola."

"Temo di non ricordarmelo," disse il Cappellaio.

Alice sorrise. "Perché non è ancora avvenuto!"

"Quando avverrà?"

"Tra parecchi anni. Quando sarai più... adulto," rispose Alice.

Il Cappellaio inclinò la testa. "Io incontrerò voi, quando sarete più piccola e io più grande?"

"So che questo non ha molto senso," commentò Alice mentre il Cappellaio cercava di sbrogliare l'enigma.

"Certo che lo ha!" esclamò il Cappellaio con un sorrisetto.

Poi riprese a camminare a passo svelto. Alice faticava a stargli dietro. "Tu sei la mia nuova, vecchia amica Alice! Sei matta, vero?" chiese in tono confidenziale.

"Io?" domandò Alice.

"Tutti i migliori lo sono," sussurrò il Cappellaio quasi fosse un segreto. Strappò un nastro da una bancarella e prese un melonviola da un'altra. "Dovresti conoscere il mio amico Leprotto Marzolino!"

Mentre passavano davanti a una casa storta, il Cappellaio afferrò un paio di penne dalla coda di un uccello appollaiato sul davanzale, quello lanciò un *QUACK* contrariato e volò via.

"Il leprotto vive vicino al vecchio mulino," continuò il Cappellaio. Intanto, le sue dita armeggiavano con il nastro, le piume, il melonviola e un pezzo di stoffa che si era tolto dalla tasca del panciotto.

Quando furono fuori dal villaggio ed ebbero raggiunto la Foresta di Tulgey, il Cappellaio estrasse delle forbici da una fondina che portava su un fianco e tagliò un pezzo di nastro.

"Spero mi possa ospitare per un po'," continuò il Cappellaio. "Ti unisci a noi per un tè?"

Prima che Alice potesse rispondere, lui le consegnò un sorprendente cappello viola e azzurro che aveva ricavato dai materiali rimediati lungo la strada. Alice lo indossò immediatamente. Il Cappellaio estrasse uno specchietto da una delle sue innumerevoli tasche e lo pose davanti ad Alice in modo che lei potesse rimirarsi.

"Un ultimo tocco," disse stringendo il nastro sul cappello. Subito le piume rosa e bianche e nere si aprirono a ventaglio come la coda di un pavone. Alice batté le mani stupefatta.

A braccetto, i due percorsero il sentiero fino a raggiungere una vecchia quercia con un buco sul tronco.

"Sai mantenere un segreto?" sussurrò il Cappellaio. Alice annuì. "Questo albero è magico," continuò lui. "Ogni sera, quando ero un ragazzino, esprimevo un desiderio e il mattino dopo l'albero lo aveva esaudito. Solitamente chiedevo leccalecca verdi e bianchi. Una delizia!" E prima di proseguire, picchiettò delicatamente sulla corteccia.

D'improvviso, Alice riconobbe quel luogo, perciò passò al sodo. Si trovavano proprio nel punto in cui aveva avuto inizio il Giorno Orristraziante. Il fatto di aver ritrovato il suo amico le aveva fatto dimenticare la sua missione.

"Aspetta, fermo!" gridò Alice. "Tutti i tuoi familiari sono in pericolo, devi avvertirli!"

Il Cappellaio la guardò perplesso. "Cosa significa? Se è stato mio padre a mandarti per farmi cambiare idea, digli pure che non succederà mai." E si voltò, deciso ad andarsene.

"Tarrant, aspetta!" chiamò Alice. "In questo momento stai creando un passato che non sarai mai più in grado di cambiare!" Ma lui non tornò sui suoi passi e la sua sagoma venne inghiottita dalle ombre della foresta. Alice sollevò le braccia in segno di resa e si diresse nuovamente al villaggio. Forse l'anziano Altocilindro le avrebbe dato ascolto.

Lo trovò fuori dal Castello di Saggezzandia, parlava con la principessa Mirana, che sembrava sconvolta. "Mi dispiace Signor Altocilindro," diceva in tono sincero.

"Mia sorella non è sempre stata così. È capitato qualcosa... quando eravamo piccole."

A quelle parole, Alice si avvicinò curiosa di saperne di più.

"È tutto a posto, maestà, davvero!" intervenne Zanik imbarazzato: una principessa gli stava porgendo le sue scuse!

"Accadde una sera in cui nevicava..." continuò Mirana ignorando l'evidente imbarazzo di Zanik. "Iracebeth batté la testa su un orologio a pendolo nella piazza del villaggio. Mirana indicò il centro di Saggenzandia. Proprio quando scoccavano le sei, non potrò mai dimenticarlo."

Un'idea prese forma nella mente di Alice. E senza farsi vedere, sgattaiolò via.

Nella Foresta di Tulgey risplendeva il sole e gli uccelli cinguettavano felici. Il Cappellaio, però, non ci faceva caso. Era ricurvo sul bracciolo di una poltroncina, davanti a una serie di tavoli allineati uno davanti all'altro. Tutte le sue modeste sostanze erano ammucchiate lì accanto, proprio fuori dall'abitazione del suo amico Leprotto Marzolino.

Proprio in quel momento il Leprotto Marzolino e Mally, il piccolo Ghiro coraggioso, sbucarono fuori dalla casa del Leprotto. Quest'ultimo, con una mano teneva in bilico un'alta pila di tazze e piattini, con l'altra reggeva una teiera. Mally portava un bel mucchio di cucchiaini d'argento.

"È l'ora del tè!" gridò il Leprotto allegramente. La tazza più alta iniziò a vacillare, ma con uno strattone il Leprotto rimise tutto in equilibrio.

"Coraggio, Tarrant," disse Mally saltellando lungo il tavolo mentre posava i cucchiaini sulla tovaglia immacolata. "Ci divertiremo, ora che abiti qui," disse felice.

Il Cappellaio provò a scrollarsi di dosso la malinconia: non voleva rattristare anche i suoi amici. Aiutò il Leprotto e Mally a disporre stoviglie, pasticcini, focaccine e tramezzini, ossia una quantità di cibo sufficiente per un ricevimento di sedici persone. Loro però erano soltanto in tre, a meno che quella bizzarra Alice non si presentasse.

Il Cappellaio si sentiva in colpa per il modo in cui aveva trattato quella ragazzina. Lei non c'entrava nulla. Era tutta colpa di Zanik! Quando si mise a scrutare tra gli alberi nella speranza di rivedere la sua nuova, vecchia amica, si udì un suono terrificante.

Dal cielo, il Tempus Fugit fischiò verso di loro. Tempo era esausto, ormai non riusciva più a governare la sua macchina.

BUUM! Il Tempus Fugit si schiantò tra le pale del mulino, proprio sopra la casa del Leprotto, poi scivolò sul terreno, trascinandosi dietro Tempo.

"*AAACCC!*" imprecò Tempo mentre sprofondava nel fango. "*UUUFFF! AHIIII*," gemette quando una pala lo colpì in testa.

Il Cappellaio, il Leprotto e Mally fissavano attoniti lo strano marchingegno e lo strano uomo con i capelli a forma di cespuglio accasciato al suo interno.

Tempo si accorse della loro presenza e raccogliendo le forze riuscì a emergere dall'abitacolo semidistrutto.

Una volta in piedi, si schiarì la voce e riacquistò la sua sicurezza. La fronte e lo sguardo erano appesantiti da nuove rughe.

"Salute a voi, signori" disse Tempo. "Io sono l'Infinito, l'Immortale. Sentitevi liberi di esprimere stupore e meraviglia." Scrutò i loro sguardi. "Ma facciamola breve, io sono Tempo," precisò.

Capitolo Undici

Mally fece un profondo inchino, poi diede una gomitata al Leprotto per invitarlo a fare altrettanto. Il Cappellaio inclinò soltanto la testa, voleva studiare meglio il nuovo arrivato. "Mi chiedevo, signore, perché mai vi siate abbassato al livello di noi comuni mortali," chiese infine.

"Ah, be'," rispose Tempo piuttosto impacciato. "Sto cercando una ragazza che si chiama Alice, l'avete vista?"

Il Cappellaio rifletté. Alice gli piaceva, quel tipo presuntuoso nemmeno un po'. "Perché chiedete di lei?" domandò.

"Mi ha sottratto qualcosa, ne ho bisogno al più presto," rispose Tempo.

Il Cappellaio fece un ampio sorriso. "Siete fortunato, Eterno Signore! Sapete perché? Perché oggi ho invitato Alice per un tè. Prendete posto, possiamo aspettarla insieme." Poi s'inchinò e gli fece cenno di accomodarsi.

Tempo gli passò davanti e scelse una poltrona con lo schienale piuttosto alto.

Il Cappellaio si scambiò uno sguardo d'intesa con Mally e il Leprotto. *Sarà divertente*, pensò.

Sollevò una teiera dalle decorazioni floreali e versò del tè nella tazza di Tempo.

"Se siete davvero il Signor Tempo, o qualsiasi altra persona voi siate, forse potete rispondere a questo quesito che mi tormenta," disse il Cappellaio mentre serviva il suo ospite. "Quand'è *presto*?"

Poi abbassò la teiera, prese un piatto di focaccine e gliele offrì. "Si trova prima di *a pochi minuti* oppure dopo *ancora un pochettino*?"

Tempo dovette fare un balzo indietro per non strozzarsi: le focaccine gli erano andate di traverso. Guardò il Cappellaio dritto negli occhi, poi intrecciò le dita delle mani. "Se mi indispettite, sarà un'eternità," replicò.

XII

ALICE CONDUSSE la Cronosfera diversi anni indietro nel passato. Questa volta atterrò senza problemi, soprattutto perché nessuno la inseguiva. Si trovava nuovamente nei sobborghi di Saggezzandia, l'aria però era più fredda.

Le sue scarpe scricchiolavano sul terreno coperto di ghiaccio, mentre raggiungeva il centro del villaggio. I passanti indossavano cappotti pesanti, le loro guance erano di un colore rosso accesso a causa del gelo invernale.

D'un tratto, dietro un angolo, apparve un minuscolo sorriso sospeso, seguito da una piccola coda felina con striature grigio-verdi. *Dev'essere lo Stregatto da cucciolo*, pensò Alice.

Poco dopo spuntò un cagnolino, un simpatico segugio che poteva essere soltanto Bayard. Allungò una zampina per acchiappare lo Stregatto, ma quello svanì rapidamente.

Sorpreso, Bayard scivolò goffamente a pancia a terra.

Lo Stregatto riapparve sogghignando. Ben presto, ai due si avvicinarono due bimbi paffutelli, che trottellavano e giocavano a sgomitarsi l'un l'altro: erano i piccoli Pinchi. Dietro di loro si trascinava un ragazzino di circa otto anni, vestito elegantemente e con i capelli di un bell'arancione brillante. Senza dubbio si trattava del Cappellaio. Indossava un cappotto verde che teneva slacciato, un cravattino rosa annodato sopra il panciotto e un cappello di velluto rosso.

Alice, sorridente, guardò con affetto i suoi giovanissimi amici. Ora, lo Stregatto e Bayard correvano in mezzo alla folla, i Pinchi si facevano strada a spintoni tra le gambe della gente nel tentativo di tenere il loro passo.

Il Cappellaio correva dietro gli amici, i lacci blu brillante dei suoi stivali si agitavano nel vento.

"Tarrant!" chiamò una voce severa. Il Cappellaio

si fermò di colpo e si girò verso la sagoma imponente del padre incorniciata dalla porta d'ingresso del suo negozio. Zanik aveva le braccia conserte e un'espressione accigliata.

Con una smorfia lo Stregatto si dissolse nell'aria e poi riapparve in un vicolo poco distante. Bayard e i Pinchi se la batterono in tutta fretta, senza più voltarsi indietro.

Il piccolo Tarrant arrancò triste verso il negozio della sua famiglia, ma sorrise quando vide Alice nella penombra. Forse fu attratto dal suo cappello, identico a quello che lui avrebbe creato alcuni anni più tardi. Le si avvicinò, la prese per mano e la spinse dentro il negozio.

All'interno, sparsi ovunque, c'erano molti strumenti da lavoro. Appesi alle pareti stavano in bella mostra cappelli di ogni forma e colore che fungevano da richiamo per la clientela. Contro il muro più lontano dall'ingresso, si notavano diverse vetrinette su cui erano esposti fili e nastri pregiati. Accanto alla porta, cappelliere e specchi completavano un quadro d'insieme senza dubbio affascinante. Alice intravide anche una stanza sul retro, c'era una scala che ipotizzò conducesse all'abitazione di famiglia.

Zanik sfogliava un libro contabile, poi alzò gli occhi e guardò Alice. "Siamo chiusi," disse.

Il Cappellaio corse dietro alla scrivania dove sedeva il padre. "Papà, guarda!" strillò. "Una cliente con una testa bellissima!"

"Mi dispiace, signorina," disse Zanik ignorando il figlio. "Dovrete tornare un'altra volta."

Si alzò di scatto e si diresse nella stanza sul retro.

Ma Alice non si mosse, ora che era riuscita ad arrivare fino a lì, non si sarebbe lasciata sfuggire l'occasione di parlare con Zanik.

"Oh, papà, solo un momento!" disse il Cappellaio entusiasta aggrappandosi alla giacca di suo padre.

"Non ora, figliolo," commentò Zanik, risoluto.

"Ho fatto qualcosa per te, oggi a scuola," continuò il Cappellaio. Aprì la sua cartella e si mise a cercare.

Zanik sospirò. "Ti ho detto che sono occupato, che cosa c'è?"

Assorti nei loro discorsi, Zanik e Tarrant sembravano

non essersi accorti che Alice era ancora nel negozio. Tutto orgoglioso, il Cappellaio tirò fuori il suo regalo. Alice sussultò, il cuore le batté forte alla vista del cappellino di carta azzurra ripiegata nella mano del piccolo amico.

"Un cappello!" esclamò lui, felice.

"Fammi dare un'occhiata." Zanik prese il cappellino e iniziò a studiarlo attentamente.

"Se mio figlio confeziona un cappello, bisogna che lo faccia come si deve, giusto? Guarda qui..." e indicò qualcosa. "Il nastro è tutto storto!"

Mentre le dita di Zanik sistemavano il nastro, la carta si strappò.

Alice inorridì. Il Cappellaio sembrava sconvolto, come se qualcuno l'avesse schiaffeggiato.

"Ah, ehm," mormorò Zanik, "materiali scadenti. Eccoti una bella lezione. Domani ti insegnerò io a confezionare un vero cappello, figliolo, eh?"

Così Zanik appallottolò quel grazioso lavoretto e lo gettò nel cestino. Gli occhi del Cappellaio si riempirono di lacrime. Subito abbandonò la stanza, passò davanti a sua madre e salì su per le scale. Tyva, dal retro, provò a fermarlo, ma era sfrecciato via troppo in fretta, senza una parola.

"Sei troppo severo con lui, Zanik," osservò Tyva. Nemmeno lei si era accorta della presenza di Alice.

"Sono severo con lui perché ha grandi potenzialità," disse di rimando Zanik. "È così che mio padre trattava me, e suo padre trattava lui."

Si diresse alla sua scrivania e aprì un cassetto. Al suo interno, Alice notò un gran mucchio di leccalecca verdi e bianchi, si sporse in avanti per assicurarsi che non stesse sognando.

In quel momento Zanik si accorse di lei e con una spinta improvvisa chiuse il cassetto.

"Vi ho già detto che siamo chiusi," disse con un tono che non lasciava spazio a discussioni.

Alice fece un cenno di saluto e uscì subito dal negozio con aria pensierosa.

Tempo si agitava sulla sedia, impaziente. Alice non si era ancora presentata per il tè e il Cappellaio e i suoi amici stavano diventando noiosi. Guardava distrattamente

Mally che ballava in cerchio sul tavolo e il Leprotto Marzolino che saltava su e giù versando del tè.

Il Cappellaio continuava a farfugliare. "Siete veramente chi dite di essere?" domandò dandogli un buffetto sul viso, come per accertarsi che fosse vero. "Siamo sicuri che esistiate? Alcuni dicono che il tempo sia solo un'illusione."

Tempo scostò la mano del Cappellaio. "Non sono un'illusione!" lo aggredì. "Un'illusione potrebbe fare questo?" Si spalancò palandrana e panciotto e afferrò la lancetta dei secondi dell'orologio che aveva al posto del cuore. La bloccò e il mondo si fermò.

Il Ghiro rimase in bilico su un piede solo, il Leprotto si irrigidì a mezz'aria con il flusso del tè che pareva un nastro sospeso tra la teiera il bordo della tazza.

Il Cappellaio, che invece poteva muoversi, studiò i suoi due amici e il tè.

"Effettivamente è straordinario," ammise il Cappellaio.

Tempo lasciò andare la lancetta e tutto si rimise in moto, incluso il tè.

SPLASH! Il liquido schizzò sulla faccia del Cappellaio.

Tempo respirava affannosamente. "Dunque, quando arriva Alice?" chiese innervosito.

Al Cappellaio tremavano le labbra, non poteva credere che Tempo non sapesse il quando di qualcosa. L'onnipotente Tempo avrebbe dovuto essere a conoscenza di qualunque fatto avvenisse ogni secondo. Allora doveva essere più facile di quanto immaginasse ingannare il... Tempo.

Il Cappellaio si alzò all'improvviso, si piazzò dietro la sedia di Tempo e cominciò a subissarlo di domande.

"È vero che voi guarite tutte le ferite? E che volate quando la gente si diverte? E perché non aspettate mai nessuno?" chiese con una sfumatura di follia nella voce.

"Ma che bel Tempo c'è oggi!" esclamò Mally, rotolandosi dalle risa.

"Il miglior Tempo possibile!" osservò il Leprotto Marzolino assecondandolo.

Il Cappellaio, sempre alle spalle di Tempo, gli prese i basettoni tra le dita. "Guardate," disse. "Ho un mucchio di Tempo tutto per me!"

Mally con un salto atterrò vicino al Cappellaio. "Sì, ma il Tempo è dalla mia parte!" ghignò soddisfatto.

"Oh, oh!" il Leprotto fece il giro del tavolo. "Ora mi serve Tempo!" commentò mentre metteva una teiera tra le mani di Tempo e gli faceva versare del tè in una tazza già piena.

"Sto correndo contro il Tempo!" gridò il Cappellaio ritornato in fretta al suo posto. E continuò: "Sto superando il Tempo!" E partì di corsa.

"Sto battendo il Tempo! Anzi, no, sto tentando di sconfiggere il Tempo," disse Mally tempestandolo di pugni sulla spalla.

"Sto risparmiando Tempo!" replicò il Cappellaio trascinando via il Ghiro.

"Io invece sto perdendo Tempo," disse Mally mentre il Cappellaio lo allontanava.

Il Cappellaio tornò di nuovo dietro la sedia di Tempo e manovrandogli le braccia su e giù e disse: "Il Tempo vola!"

Il Leprotto e Mally si sbellicavano dalle risate.

"No, no, un momento!" disse il Cappellaio. "Il Tempo

avanza l... e... n... t... a... m... e... n... t... e!" disse muovendogli le braccia al rallentatore.

"Bastaaa!" tuonò Tempo. Spinse via il Cappellaio e si alzò in piedi. Sembrava furente. "Alice non verrà, vero?"

"Non ho mai detto che sarebbe venuta, vecchio barbagianni!" rispose il Cappellaio. Con calma raggiunse una sedia e ci si accomodò. "Ho detto solo che l'avevo invitata."

"Cosa? Voi! Voi..." balbettò Tempo. Fece un respiro profondo, poi proseguì cercando di calmarsi. "Ben fatto, signore. Ora spetta a me." I suoi occhi scintillarono minacciosi. "Vi starete chiedendo quando è ora, giusto?" Tempo si aprì il mantello e rivelò l'orologio che aveva sul petto. Le lancette indicavano le cinque e cinquantanove.

"Ora è esattamente un minuto prima dell'ora del tè." Tempo continuò. "E finché Alice non vi avrà raggiunto per il tè, sarà sempre un minuto prima dell'ora del tè" aggiunse con sufficienza. "Godetevi pure la vostra festicciola." Quindi puntò indietro l'orologio e scomparve.

Il Cappellaio cercò di alzarsi, ma non ci riuscì. Premette più forte le mani sui braccioli della poltroncina e puntò le gambe, ma non servì a nulla, era bloccato sul posto.

"Cosa? Un momento, come ha fatto?" chiese Mally mentre lui e il Leprotto si contorcevano sulle sedie incapaci di liberarsi.

"Quell'infinito schifetido lordiglio melmostoso ci ha bloccati tutti a un minuto prima del tè!" imprecò il Cappellaio, ormai rassegnato sulla sua poltroncina.

XIII

IN UN PASSATO ancora più lontano, nelle cucine del Castello di Saggezzandia, la giovane Regina Elsmere era immersa nella farina fino ai gomiti, mentre col matterello stendeva un impasto. Le piaceva molto fare i dolci, era un'attività che solitamente la tranquillizzava. Questa volta, però, era ben lungi dal sentirsi serena. Al tavolo dietro di lei, le sue figlie di sei anni si contendevano un piatto di crostatine quasi vuoto.

"Stai mangiando tutte le crostatine!" si lamentava Mirana. "Allora tieniti i bordi" disse Iracebeth leccandosi le dita sporche di marmellata di lamponi.

La Regina Elsmere sbuffò e si voltò a guardarle. "Se non riuscite ad andare d'accordo, non ci saranno più

crostate per nessuno!" dichiarò. "E ora fuori dalla mia cucina. Sciò!" E le cacciò via agitando il matterello.

Controvoglia, le bimbe scesero dalla panca e si diressero verso la porta. Con un ultimo sguardo alla cucina, Mirana seguì la sorella che usciva. Ma si fermò appena vide Iracebeth allontanarsi. Probabilmente stava andando a giocare con la sua fattoria di formiche.

Mirana attese finché fu sicura che sua sorella non sarebbe tornata e con circospezione infilò nuovamente la testa in cucina. La Regina Elsmere era intenta a tagliare delle verdure per la cena e a versarle in una grande casseruola sul fuoco; aveva detto alla cuoca che per quella sera poteva starsene a casa.

Lo faceva ogni volta che aveva bisogno di calmarsi: la cucina la rilassava. Mirana esitò, sapeva che sua madre era già di cattivo umore. Ma le sembrava che il piatto di crostatine la stesse chiamando. Non le riusciva mai di avere la parte con la marmellata, se c'era in giro Iracebeth.

Appena la Regina Elsmere le diede le spalle per lavare delle carote nell'acquaio, la principessina non si lasciò sfuggire l'occasione. Si precipitò nella stanza, afferrò le crostatine rimaste e sfrecciò via.

Quando Elsmere vide il piatto vuoto, scosse la testa. "Ma avevo detto che..." commentò senza finire la frase.

A passo leggero, Mirana salì la scala a chiocciola che portava alla stanza nella torre che divideva con la sorella. Mentre avanzava cominciò a divorare con gusto le crostatine appena sottratte. Entrata nella stanza circolare (la sua metà era decorata di bianco, quella di Iracebeth di rosso), assaporò l'ultima con tutta calma, riempiendosi la bocca di quel sapore dolce. Poi, felice, sospirò.

D'un tratto, dal corridoio risuonarono dei passi. In predo al panico, Mirana si guardò intorno e in tutta fretta spazzò sotto il letto di Iracebeth alcune briciole che aveva seminato in giro. Quando la porta si aprì, Mirana si portò le mani dietro la schiena.

Iracebeth entrò reggendo un barattolo con delle formiche dentro, si fermò e guardò la sorella con sospetto. Mirana era in piedi, nella parte di stanza che apparteneva a Iracebeth e teneva lo sguardo basso.

"Cosa stai combinando?" le chiese.

"Niente," rispose Mirana, e senza pensarci due volte corse fuori dalla porta.

Iracebeth si strinse nelle spalle e andò a versare il contenuto del barattolo nella fattoria di formiche che teneva in una teca, sul suo comodino.

"Ecco qui!" esclamò Iracebeth entusiasta. "Ora avete una casa nuova, spero che diventeremo amiche."

Mentre osservava le formichine, notò un granello sul pavimento, accanto al suo letto. Guardò meglio. Sembrava proprio una briciola di crostatina.

La porta si riaprì ed entrò sua madre, con Mirana al seguito.

"Cosa vi avevo detto?" La voce della Regina Elsmere era severa e tagliente. "Da questo momento non avrete più una sola crostatina!"

"Ma io non ne ho mangiate altre!" protestò Iracebeth.

Elsmere posò lo sguardo sul pavimento. "E cosa ci fanno quelle briciole sotto il tuo letto?"

Iracebeth spalancò gli occhi per lo stupore, poi intuì

l'accaduto: poco prima aveva trovato la sorella accanto al suo letto, quindi... "È stata lei!" strillò indicando Mirana. Si sentiva tradita.

Elsmere si rivolse a Mirana. "Sei stata tu?"

Mirana impallidì e indietreggiò.

"Sì, l'hai fatto, dillo!" insistette Iracebeth, Mirana non poteva lasciare che la colpa ricadesse anche su di lei.

"Di' la verità, Mirana," la esortò Elsmere. "Hai preso tu le ultime crostatine e poi sei venuta a mangiarle qui?"

Le labbra di Mirana tremarono, non poteva sopportare che sua madre si arrabbiasse con lei.

"No," rispose con sguardo dolce e innocente.

Iracebeth rimase di stucco. "Stai mentendo!" gridò. Perché sua sorella si comportava in quel modo?

"Basta, ho capito. Le briciole sono sotto il tuo letto, Iracebeth. Potresti almeno evitare d'incolpare tua sorella," concluse la regina.

"No, non è giusto!" protestò Iracebeth. Pestò i piedi, poi schivò il braccio della madre, che voleva trattenerla, e fuggì via tra le lacrime.

DONG!

Nella piazza principale di Saggezzandia, Alice si fermò appena udì quel suono. Fissò la torre dell'orologio, mentre i fiocchi di neve le cadevano sugli occhi.

"Il primo rintocco delle sei!" esclamò ansiosa. Si guardò intorno, sperando di vedere Iracebeth, ma non la vide da nessuna parte. Le uniche creature che passarono, furono un pesce gentiluomo con un cappello a cilindro e un ombrello e due fattorini ranocchio in uniforme che trasportavano un orologio a pendolo.

DONG!

A un tratto una bimba di sei o sette anni sfrecciò poco lontano. Stava piangendo. La sua testa era di dimensioni normalissime, ma Alice la riconobbe immediatamente. Era Iracebeth, con la sua solita espressione imbronciata. Non è sempre stata... zuccona, pensò.

DONG!

"L'orologio! Tra poco batterà la testa!" gridò. Doveva evitare che accadesse.

Tuffandosi per raggiungere Iracebeth, Alice fece inciampare uno dei fattorini ranocchio che lasciò cadere a terra l'orologio a pendolo. "Ma insomma..." protestò il fattorino.

DONG!

Alice ignorò le proteste del ranocchio e si precipitò verso Iracebeth. La principessina continuava a piangere e correva per la piazza alla cieca. Per un soffio evitò i ranocchi, ma trovò sulla sua strada il pesce gentiluomo.

"Attenta, signorina!" gorgogliò il pesce.

DONG!

Iracebeth si voltò troppo bruscamente, perse l'equilibrio e scivolò sui ciottoli coperte di neve. La poverina prese il volo e precipitò proprio nei pressi della statua di suo padre, al centro della piazza.

"No, no, no!" urlò Alice.

DONG!

Iracebeth sbatté violentemente la testa contro la base della statua. Dai cespugli di rose coperti di neve che circondavano la statua, piovvero centinaia di petali.

"La mia testa! Oh, la mia testa! Stupide rose!" piagnucolò Iracebeth togliendosi di dosso i petali.

I ranocchi e il pesce le corsero accanto.

"Come va la testa, signorina?" chiese il ranocchio.

"Guardate, si sta gonfiando!" osservò il pesce sbigottito.

Alice fece un passo indietro, non c'era più nulla che potesse fare, ormai. Aveva fallito di nuovo. Il cranio di Iracebeth s'ingrandiva a vista d'occhio, le lacrime le rigavano le gote.

Re Oleron e la Regina Elsmere, accorsi nella piazza, s'inginocchiarono accanto alla piccina dolorante. La principessa Mirana, attonita, era poco distante.

Anche Alice versò una lacrima quando vide Re Oleron prendere in braccio Iracebeth.

Mentre tornavano al castello, la Regina Elsemere stringeva la mano di Iracebeth, cercando di consolarla. Mirana seguiva a ruota, sul suo visino le si leggeva il senso di colpa.

"Non si può modificare il passato," disse Alice tra sé. Mentre si allontanava, notò la vetrina illuminata del negozio degli Altocilindro.

All'interno, Zanik rovistava in un cestino. Poco dopo, nella sua mano comparve un cappellino di carta azzurra stropicciata. Con le dita cercò di lisciarne le pieghe, poi se lo infilò nel taschino, proprio sopra il cuore, e sorrise.

Alice rammentò le parole di Tempo: "... oserei dire che è proprio dal passato che si può imparare qualcosa."

"Lo ha conservato per tanti anni..." mormorò Alice.

D'improvviso, nella sua mente si fecero spazio diversi ricordi.

La stanza dei Sottomondiani Deceduti... Altocielo, Altocirco, Altolà... non c'erano Altocilindro nell'elenco!

Poi rammentò il volto di Iracebeth che giurava vendetta a Zanik per averla messa in ridicolo.

Il piccolo Cappellaio che porgeva speranzoso il cappellino di carta a suo padre.

La scorta segreta di leccalecca verdi e bianchi che Zanik teneva nel cassetto... gli stessi che il Cappellaio chiedeva al suo albero magico.

E, infine, il cappellino di carta azzurra nascosto nel tronco di quell'albero, rimasto incredibilmente integro dopo l'incendio.

"Sono vivi!" esclamò Alice. Zanik doveva aver nascosto

il cappellino di carta proprio lì per far capire a suo figlio che erano vivi! Il Cappellaio aveva ragione! Dalla gioia, Alice fece una piroetta e... andò a scontrarsi con Tempo.

Era coperto di neve, le sue sopracciglia erano dei cespugli bianchi e rigidi. Subito afferrò Alice per un braccio e la trascinò dentro il negozio più vicino, guarda caso, quello di un orologiaio.

Era semibuio e in stato di abbandono. C'erano centinaia di orologi che scampanellavano dai muri e dalle mensole.

Erano di tutte le dimensioni e forme, alcuni di metallo, altri di legno.

Alice notò delle rughe ormai profonde sul volto di Tempo, dall'ultima volta che l'aveva visto sembrava invecchiato di vent'anni.

"Non avete idea di quanto siate stata imprudente. E dei pericoli che avete corso!" disse Tempo al colmo dell'ira. "Se non vi avessi raggiunta..."

Tempo fu costretto a fare una pausa, respirava a fatica. D'un tratto, si portò una mano al petto e gli orologi del negozio si fermarono improvvisamente.

Alice si ritrovò come imprigionata in una bolla, bloccata. Il negozio cominciò ad allargarsi per poi restringersi improvvisamente. Le pareti si muovevano a scatti verso l'interno.

Tempo fu colto da un attacco di panico. Tutti gli orologi del negozio cominciarono a scampanellare più forte, le loro lancette oscillavano forsennatamente, avanti e indietro.

Di colpo, la situazione tornò alla normalità. Tempo immaginò che probabilmente anche il Grande Orologio si stava arrugginendo. Forse Wilkins e i Secondi avrebbero potuto guadagnare del tempo... per Tempo, ma certamente non avrebbero avuto la forza di proteggerlo ancora per molto. Osservò allarmato l'orologio che aveva al posto del cuore, la ruggine si era estesa fino quasi a coprirlo.

"Mi serve la Cronosfera... ora!" gridò Tempo strattonandole un braccio.

"Lasciatemi andare!" supplicò Alice. Finalmente aveva raccolto gli indizi che le servivano per correre in aiuto della famiglia del suo amico, non poteva arrendersi. "Gli Altocilindro! So dove sono! Devo raggiungerli!"

"Non andrete da nessuna parte, io vi troverò, ovunque vi nasconderete," sibilò Tempo.

Alice indietreggiò, andò a sbattere contro un armadio, scivolò di lato e si voltò.

Vide un camino sopra cui campeggiava uno specchio antico. Il vetro era opaco e al centro si agitava un vortice nebbioso.

"Mia cara," ridacchiò Tempo mentre Alice si arrampicava sulla mensola del camino, "non potete sfuggire a Tempo."

"In realtà..." disse Alice decisa a tenersi la Cronosfera, "... sì che posso!" E fiduciosa entrò nello specchio.

Tempo fece un balzo in avanti ma tra le dita si ritrovò solo nebbia. Alice era scomparsa.

Con un sussulto, Alice si ritrovò nel polveroso salotto degli Ascot. E... *SBAM!* Il suo arrivo era stato un po' troppo precipitoso, aveva picchiato la testa contro qualcosa di terribilmente duro. Questa dev'essere la sera delle zuccate, pensò. E tutto diventò buio.

XIV

Alice fu svegliata da una luce intensa. Facendosi scudo con una mano, aprì faticosamente gli occhi. Sopra di lei c'era un soffitto bianchissimo. La testa le girava un po' e così si mise a sedere lentamente.

Si trovava distesa sopra un letto dalla struttura in metallo, all'interno di una stanza circolare piena di letti vuoti. C'era anche una vasca da bagno colma di pezzi ghiaccio. Un uomo col camice bianco da medico si lisciava i capelli davanti a uno specchio appeso sopra un lavandino.

Alice si accorse che sua madre era lì, su una sedia, accanto a lei.

Si toccò la testa che ancora le doleva e, con terrore,

si rese conto di avere delle ciocche più corte di quanto ricordasse. Qualcuno le aveva tagliato i capelli mentre dormiva.

Fu colta da un sospetto. Dove l'avevano portata? Quel luogo sembrava minaccioso. Non poteva essere un manicomio... vero?

"Dove sono?" chiese. "Da quanto sono qui?"

"Non da molto," rispose sua madre tentando di assumere un'aria rassicurante. "Eravamo a casa degli Ascot... Forse sei svenuta?"

"No," ribatté decisa. Ne era certa, lei non era il tipo da svenimenti.

Helen lanciò un'occhiata al dottore che si stava avvicinando e abbassò la voce. "Pare che tu abbia tentato di infilarti sotto alcuni mobili. Parlavi dell'atmosfera." Sembrava preoccupata.

"Della Cronosfera," precisò il dottore consultando una cartella clinica.

"La Cronosfera!" Alice si tastò gli indumenti ma non erano gli stessi che ricordava. Ora indossava una tunica e un paio di pantaloni color crema. La Cronosfera non c'era più. "Devo recuperarla e salvare gli Altocilindro prima che sia troppo tardi."

"Vediamo un po'," intervenne il medico prendendo appunti. "Eccitabile, emotiva, portata a fantasticare... una caso da manuale di isteria femminile."

Alice lo guardò accigliata, ma Helen avvicinò il suo volto a quello di sua figlia e la accarezzò dolcemente. "Alice hai fatto un lungo viaggio, sei esausta. Su questo, siamo tutti d'accordo."

Alle spalle della madre, Alice scorse un tavolino su cui erano disposti degli strumenti medici. Una siringa piena di liquido dorato lucciccava in modo sinistro. Alice scostò le lenzuola e fece per alzarsi dal letto, ma il dottore le sbarrò la strada, la spinse indietro, sul materasso, e le bloccò le braccia.

Helen era visibilmente a disagio nel vedere sua figlia che tentava di divincolarsi.

"Dottor Bennet, è proprio necessario?" chiese Helen con esitazione.

"Perdonatemi, Signora Kingsley, ma l'unica cosa di cui Alice ha bisogno in questo momento è un lungo sonno senza sogni." E fece un cenno a due infermieri appena entrati nella stanza.

Alice si mise a scalciare a più non posso.

"Su, su, Alice," disse il Dottor Bennet. "Non siate così testarda."

Helen sussultò, anche lei aveva pronunciato spesso quella parola.

Gli infermieri la scortarono garbatamente alla porta. Lei obbedì con riluttanza, sebbene non fosse più sicura di aver fatto la cosa giusta.

Quando il medico alzò gli occhi per accertarsi che se ne fossero andati, Alice ne approfittò per arraffare qualcosa dal tavolino e nasconderlo dietro la schiena. La porta si chiuse di scatto e il Dottor Bennet tornò ai suoi strumenti.

"Che strano," esclamò voltandosi. "Dove ho messo la sir.."

Alice balzò in piedi e gli infilò la siringa nel fondoschiena, gli iniettò il liquido dorato e si allontanò mentre il medico crollava a terra. Di qualsiasi cosa si fosse trattato, aveva avuto un effetto immediato e potente.

Capitolo Quattordici

"Ohi!" gridò un infermiere quando tornò nella stanza. E subito insieme al suo assistente tentò di bloccare Alice.

Alice si accovacciò e agguantò le chiavi che si trovavano nella tasca del Dottor Bennet. I suoi occhi si posarono sull'orologio da tasca del padre che le aveva sottratto sistemandolo accanto ai suoi strumenti. Afferrò anche quello e scavalcò il letto per evitare gli infermieri che si avvicinavano. Corse fuori dalla porta e raggiunse il corridoio principale.

Dalla direzione opposta apparvero altri infermieri, Alice frenò, ma le suole delle sue pantofole scivolarono sulle assi di legno.

Si rialzò, ruotò su stessa e sfrecciò sopra una scala, facendo i gradini a due a due. Raggiunto l'ultimo, sentì della musica provenire da una doppia porta.

Si fermò un attimo e vide gli infermieri sulle scale che si affannavano per raggiungerla. Senza più esitare, spinse le due porte e si trovò immersa in una melodia rassicurante.

La stanza era larga e senza finestre. Una cinquantina

di pazienti seduti su rigide sedie di legno assistevano al concerto di un quartetto d'archi. Appoggiato contro un muro, un infermiere annoiato le dava le spalle.

Alice si affrettò a raggiungere un posto vuoto. In quel medesimo istante le porte si aprirono e comparve un gruppo d'infermieri con l'aria affannata. Alice sprofondò nella sedia e con la coda dell'occhio sorvegliò i nuovi arrivati che si dividevano per cercarla.

"Alice?" chiamò timidamente una voce.

La melodia terminò e Alice riconobbe sua zia, seduta davanti a lei.

"Zia Imogene?" chiese Alice in tono sorpreso.

Sua zia ruotò sulla sedia con gli occhi pieni di speranza. "Hai visto il mio fidanzato?"

Alice scosse la testa triste. Povera zia Imogene.

Alice non riusciva a credere che i suoi familiari avessero rinchiuso zia Imogene soltanto perché aveva una relazione immaginaria. Era innocua! A quanto pare nessuno di loro riusciva a sopportare la presenza di una donna che avesse un minimo di fantasia.

Quando i musicisti passarono a un'aria più vivace,

Alice si accorse di due infermieri che per raggiungerla si facevano largo tra i pazienti.

"È un principe, sai?" continuò gioiosamente zia Imogene. "Sta venendo a prendermi, devo soltanto aspettarlo."

Alice si chinò e affidò le chiavi prese al dottore alle mani della zia. Per un attimo la fissò negli occhi. "Non aspettare più, zia Imogene," sussurrò. Aveva imparato fin troppo bene che il tempo andava sfruttato nel miglior modo possibile. Poi balzò in piedi e sfrecciò via, lontana dalle grinfie degli infermieri.

Fuori dalla stanza, Alice oltrepassò un'altra porta e imboccò una scala strettissima.

Arrivata in cima, si ritrovò sul tetto del manicomio. Il cielo di Londra era rosa e viola e il sole splendeva appena, sotto la linea dell'orizzonte. Una bandiera britannica sventolava nel vento serale e l'aria era intrisa del fumo delle fabbriche. Senza quasi pensarci, raggiunse le grondaie ai margini del tetto e si sporse.

Vide una scaletta di ferro, che portava a un ampio cortile sottostante, insieme ad alcuni infermieri che si stavano già arrampicando verso di lei. Alice si tirò subito indietro.

Uno di loro però la vide e incitò gli altri ad affrettarsi. Alice ispezionò nuovamente il tetto, doveva esserci un'altra via di fuga.

Proprio allora, la porta dalla quale era giunta si spalancò e un altro gruppo di infermieri piombò sul tetto. Alice sfrecciò verso il pennone portabandiera con un piano folle in mente.

Afferrò la corda che avvolgeva il pennone, se ne allacciò un'estremità intorno alla vita e legò più saldamente l'altra alla base. "Ecco come si fa un buon nodo da marinai!" borbottò tra sé.

Diede un'ultima occhiata agli infermieri che si avvicinavano e si lanciò giù dal tetto.

Per un attimo restò sospesa a mezz'aria, come se il mondo si fosse... fermato.

Poi, ruotò su se stessa e con la fronte rivolta al muro del palazzo, si preparò all'impatto.

Sotto di lei, c'era una carrozza col tettuccio aperto. Era vuota. Alice appoggiò un piede contro la parete e lentamente scese verso la carrozza. Con un tonfo atterrò sul sedile imbottito.

Capitolo Quattordici

I cavalli nitrirono spaventati e strattonarono in avanti. Alice si sciolse in fretta la corda intorno alla vita e con un guizzo raggiunse il posto del conducente. "Ehi!" le gridò il cocchiere che era uscito dal portone del palazzo. "Scendi subito da lì!"

Lei afferrò le redini e le tirò. "Sono spiacente, signore, devo farlo, ho un impulso irrefrenabile, sono malata di mente!" gli rispose con un cenno di saluto.

Spronò i cavalli e partì al galoppo nell'oscurità. Si sentiva libera e selvaggia, tuttavia non riconobbe nessuna delle strade che stava percorrendo. Per orientarsi seguì i rintocchi del Big Ben che si udivano in lontananza e si diresse sicura verso nord.

Ben presto raggiunse dei quartieri più familiari, ma invece di recarsi a casa (sua madre l'avrebbe di certo rispedita in manicomio), Alice condusse i cavalli verso la campagna.

Le stradine erano quasi deserte: nessuno si accorse di Alice, che procedeva indisturbata al chiarore della luna. Il vento scompigliava ciò che restava dei suoi bei capelli. Finalmente giunse a destinazione, poco distante dal maniero degli Ascot. Scese dalla carrozza e assestò una pacca sul dorso dei cavalli, che partirono al galoppo. Avrebbero trovato da soli la via del ritorno. Si avvicinò di soppiatto alla casa degli Ascot immersa nel silenzio notturno. Sul retro trovò una finestra socchiusa, spinse l'anta con decisione e saltò dentro, andando a cadere su un divano coperto da una catasta di lenzuola e cuscini.

Riconobbe la biblioteca. C'erano libri ammassati su ogni superficie disponibile, cassettoni e tavolini compresi, alle pareti erano appesi alcuni ritratti di famiglia piuttosto imponenti.

Da uno di questi, Hamish ostentava il suo proverbiale sguardo di disapprovazione. Il pittore l'aveva riprodotto perfettamente, insieme alla postura rigida e superba.

Alice si avvicinò alla porta di quercia, tentò di aprirla, ma quella non si mosse.

Riprovò nuovamente usando entrambe le mani. Tirò e tirò ma... niente.

CRACK! Un rumore improvviso alle sue spalle le fece gelare il sangue.

Dall'altra parte della stanza vide James Harcourt, seduto a una scrivania con una penna in mano. Accanto a lui c'erano numerose pile di libri, quasi si fosse costruito intorno un fortino di protezione. Guardava Alice attonito.

Si alzò lentamente, passò accanto al pianoforte e le si avvicinò.

"Vi prego," disse Alice arretrando.

James raggiunse la porta e con una leggera spinta l'aprì.

"Così è più facile, non credete?" disse con un sorriso.

"Ah, grazie," rispose Alice un po' più rilassata.

"Sto preparando i documenti per la cessione del vascello. Vostra madre dovrebbe firmare per voi, ma non mi sembra che stiate così male."

"Potete darmi ancora un po' di tempo?"

Lui annuì, Alice gli sorrise con gratitudine, uscì dalla stanza e si diresse al piano di sopra.

Una volta raggiunto il salotto polveroso, Alice si inginocchiò e cominciò a cercare sul tappeto persiano e tra le sedie. Il cuore le batteva forte. Dove poteva essersi cacciata?

D'un tratto, sotto una credenza vide brillare qualcosa. Eccola!

Strinse la Cronosfera tra le dita e con sollievo se la portò al petto. Lo specchio si mosse, all'interno della cornice apparve una nebbia argentata con un gorgo al centro.

Determinata, Alice salì sulla mensola del caminetto. Con la Cronosfera in una mano e l'orologio di suo padre nell'altra, fece ancora una volta un passo attraverso lo specchio.

XV

IRACEBETH CAMMINAVA avanti e indietro nervosamente. Era sul balcone del suo castello che si trovava nel profondo Aldilànde.

Quella dimora era tutt'altro che confortevole. Le pareti odoravano di muffa perché una delle tante anomalie di quel luogo orribile consisteva nel fatto che era stato costruito esclusivamente con materiali vegetali. Iracebeth sollevò il suo binocolo per scrutare l'orizzonte e sospirò: solo rocce e praterie, per miglia e miglia.

Maledisse sua sorella per averla esiliata in quel posto sperduto, poi rientrò. Nel silenzio si udì distintamente il fruscìo della sua gonna.

Forse Tempo era tornato per portarle buone notizie. Probabilmente aveva rintracciato Alice e recuperato la Cronosfera. Si fermò nel corridoio buio.

"Tic-tac?" chiamò. "Tic-tac?" Nessuna risposta. "Dove sarà finito quel vecchio pazzo?" mormorò mentre raggiungeva la sua stanza privata. Il soffitto e le pareti, come ogni cosa nel suo castello, erano fatti di legno di sangue-di-drago e viti.

Il suo letto, avvolto in coperte rosse, era sormontato da un baldacchino logoro e cadente. C'erano piante ovunque, alcune pendevano da ganci piantati nelle pareti, altre si arrampicavano su graticci. La libreria era stipata di barattoli pieni di funghi, mandragola e altri veleni. La scrivania era coperta di fogli su cui aveva tracciato bozzetti della Cronosfera e appunti per pilotarla. Peccato che Alice l'avesse battuta sul tempo.

Iracebeth inarcò un sopracciglio e si avvicinò alla sua vecchia fattoria di formiche che possedeva fin da bambina. Gli insetti procedevano senza sosta all'interno della teca, dentro e fuori una complessa rete di tunnel.

"Cosa state pensando, piccine mie?" chiese ad alta voce.

Con due dita sollevò una leva scoprendo un piatto, che conteneva una tortina bianca.

"Guardate un po' cosa c'è qui..." disse in tono di scherno. Prima che le bestioline potessero raggiungere la tortina Iracebeth prese a scuotere la teca. "Il terremoto! Ah! Ah! Ah!" sghignazzò.

Da lontano, si udì una specie di fischio. Incuriosita, Iracebeth lasciò le sue formiche, incurante dei movimenti convulsi che aveva scatenato.

La Regina Rossa raggiunse una finestra e scostò la tenda.

Dal cielo vide planare uno strano macchinario di legno e metallo. Riconobbe subito Tempo, che ansimando e sbuffando, si avvicinava al suo castello. Che cosa stava combinando?

La macchina volante vacillò e poi si accostò pericolosamente alla finestra di Iracebeth. Lei fece un balzo all'indietro, temendo di essere investita da quel trabiccolo.

BANG! La macchina si sfracellò sul pavimento della stanza. Un ingranaggio si staccò e rotolò verso la parete. Tempo, barcollando, riemerse tra i rottami.

Iracebeth aggrottò la fronte.

"Dove diavolo siete stato?" sbottò dalla finestra. "Dov'è Alice? Dov'è la mia Cronosfera?"

"Non ce l'ho," rispose Tempo affannato. Non riusciva quasi a respirare, ogni parola gli costava uno sforzo enorme. "L'ha presa lei!" concluse.

"Cosa?" esplose Iracebeth furibonda. "Ve la siete lasciata scappare?" Senza la Cronosfera, era impossibile per lei vendicarsi di Mirana.

Tempo si allontanò dal relitto del Tempus Fugit.

"Voi non capite," le disse indicando ansiosamente l'orologio che aveva al posto del cuore e che ormai era quasi interamente coperto di ruggine.

"Devo ritrovarla! Dove sarà, adesso?" gridò Tempo.

"E io come faccio a saperlo?" rispose acida Iracebeth. Era stato Tempo a farsela sfuggire.

"Dovreste saperlo, invece. Lei è la vostra nemica, lei..." la incalzò Tempo. Poi s'interruppe. "Gli Altocilindro!"

strillò. "Non faceva che parlare di loro. Diceva di sapere dov'erano e che sarebbe andata a salvarli. Sapete che cosa significa?"

Tempo la guardava speranzoso. Iracebeth si voltò e il suo sguardo si posò sulla fattoria di formiche.

Le parve d'intravedere nuovi tunnel appena costruiti. Sorrise perfida: il piano partorito dal suo grosso e ingegnoso cervello stava prendendo forma.

"So esattamente che cosa significa," disse. Poi chiamò: "Guardie!"

Due soldati giganti, che a dire il vero erano dei vegetali semoventi, – cioè quanto di meglio Iracebeth fosse riuscita a procurarsi in quella situazione – entrarono nella stanza a passo pesante. Avevano nasi appuntiti e penzolanti e foglie appassite che spuntavano dagli elmetti.

"Mettetelo in prigione!" ordinò la Regina Rossa indicando Tempo imperiosamente.

"Cosa?" esclamò Tempo stupefatto. "Aspettate! Mia cara, non è possibile! Non funziona così, è impossibile arrestare... Tempo!"

Le guardie afferrarono Tempo per le braccia e lo trascinarono verso la porta. Lui svenne.

"Oh, a quanto vedo sembra possibile," biascicò lui poco dopo.

Iracebeth se ne stava in piedi sopra di lui e nel suo sguardo c'era un bagliore malvagio.

"Da questo momento comando io," dichiarò.

Trionfante, la Regina Rossa imboccò le scale. I soldati la seguirono obbedienti trasportando il prigioniero. Finalmente aveva catturato Tempo.

Alice irruppe nella casa del Cappellaio senza bussare.

"Cappellaio!" strillò. "La tua famiglia! Sono tutti vivi!"

La stanza principale era vuota e il Cappellaio non era nemmeno nel retro. Dopo una rapida occhiata in giro, Alice corse al secondo piano, prendendo la scala a chiocciola turchese.

Entrò diretta in camera da letto, la porta era aperta. Gli amici erano riuniti intorno al letto del Cappellaio. Lui era disteso, con gli occhi chiusi. I suoi capelli, un tempo fulvi, erano bianchi.

Il Bianconiglio lo stava visitando con uno stetoscopio. Quando Alice si avvicinò, scosse tristemente la testa e arricciò il naso.

"È stata la Dimentichella," disse Panco Pinco.

"Gli ha svuotato la mente," concluse Pinco Panco. I due gemelli erano visibilmente commossi.

"Temiamo sia troppo tardi," sussurrò la Regina Bianca seduta accanto al letto.

Alice non riusciva a crederci. Si avvicinò e prese la mano del Cappellaio. Era fredda, umida, il polso era debole. "Avevi ragione," gli bisbigliò con convinzione. "Sono vivi!"

Ma il Cappellaio non si mosse, sembrava non avesse neppure udito.

"Non posso sopportare di vederlo così!" singhiozzò Mally.

Bayard sollevò delicatamente il Ghiro col suo nasone, se lo mise in groppa e lo condusse giù dalle scale. Gli altri li seguirono arrancando.

Solo Mirana si fermò un attimo a guardare un'ultima volta l'amico che giaceva immobile. Poi lasciò Alice al suo capezzale e scese con gli altri.

Alice vide il cappellino di carta azzurra sul comodino del Cappellaio. Lo prese e lo accarezzò. "So cosa significa per te," disse piano. "Lo hai fatto per tuo padre, quando eri piccolo." Il Cappellaio non reagì

Alice continuò imperterrita. "Ti ricordi del tuo albero magico? Ecco, non era davvero magico, era tuo padre che..." Alice immaginò Zanik che di notte portava i leccalecca al figlio. "Era lui a esaudire i tuoi desideri. E il giorno dell'attacco del Ciciarampa, ti ha lasciato il cappellino per farti capire che la tua famiglia si era messa in salvo!"

Alice notò un movimento leggero sotto le palpebre del Cappellaio.

"Lo ha conservato, Cappellaio!" disse mettendogli in mano il cappellino di carta. "Pensavi lo avesse gettato via? No, lo ha tenuto in segno del suo amore per te!"

Il Cappellaio fu scosso da un brivido.

"Lui ti vuole bene, te ne ha sempre voluto ed è vivo!" concluse Alice.

A quelle parole, il Cappellaio aprì gli occhi lentamente e guardò il cappellino.

"Lui... lo ha tenuto?" chiese timidamente.

"Sì!" rispose Alice entusiasta. "Sì, io c'ero. L'ho visto. Lo ha raccolto dal cestino. I tuoi familiari sono vivi!"

Il Cappellaio si sollevò sui gomiti e scrutò Alice: finalmente la riconosceva.

"Sei tu, non è vero? Ti riconoscerei tra mille. Sei Alice!" disse.

Al colmo della gioia, Alice gli gettò le braccia al collo. "Oh, Cappellaio!" strillò. "Mi sei mancato così tanto!"

Piano piano, i capelli e il viso del Cappellaio riacquistarono il loro colorito di sempre. Lui ricambiò l'abbraccio, ma poi si scostò e si fece serio.

"Perché allora non sono tornati a casa?" domandò.

"Perché sono prigionieri," spiegò Alice. "Della sola persona capace di compiere gesti così crudeli..."

"La capocciona maledetta!" Il Cappellaio saltò in piedi sul materasso, la sua testa sfiorava il baldacchino. Il suo sguardo era fiero e determinato e se non fosse stato per la camicia da notte avrebbe avuto un'aria davvero minacciosa.

"Andrò a cercare la Regina Rossa," proclamò il Cappellaio, poi afferrò la mano di Alice e scese dal letto. "E riporterò a casa la mia famiglia!"

Alice gli strinse la mano, lo avrebbe accompagnato.

Cinque minuti dopo, si precipitarono fuori di casa. Il Cappellaio indossava un'originale tenuta da safari: caschetto da esploratore blu scuro, pantaloni scozzesi, giacca da cavaliere color prugna e stivali in pelle marrone allacciati fino alle ginocchia.

Aveva insistito affinché Alice si liberasse degli orribili vestiti del manicomio, così ora la ragazza sfoggiava una magnifica giacca nera, una camicetta rossa, ampi pantaloni grigi e stivali.

Alice convocò il Grafobrancio con un gran fischio, e quello, in un istante, sbucò dalla foresta. Mostrava i denti e sospirava, ma... per la gioia. Raggiunse Alice trotterellando e subito il Cappellaio gli mise sella e briglie.

I due amici montarono sul dorso dell'animale. "Avanti, andiamo a salvare una famiglia," disse Alice schioccando la lingua. Il Grafobrancio contrasse i muscoli e con un balzo partì al galoppo nel folto della Foresta di Tulgey.

Lungo la strada incontrarono i loro amici sotto un albero. Mirana cercava di consolare i Pinchi, Mally aveva abbandonato il suo spadino nell'erba, il Bianconiglio e il Leprotto Marzolino tenevano le orecchie basse e Bayard si copriva gli occhi con le zampe.

"Cappellaio!" gridò di gioia Mally quando vide il Grafobrancio fermarsi poco distante.

"È tornato... lui!" esclamarono i gemelli all'unisono.

Il Cappellaio si tolse il caschetto, fece un inchino e mostrò la sua bella capigliatura vivace. "In persona," disse.

"Ora, ci scuserete, abbiamo urgenti questioni di salvataggio e vendetta da risolvere", aggiunse.

Bayard si drizzò sulle zampe. "Non posso permettere che affrontiate un pericolo senza di me. Vi offro il mio fiuto," dichiarò orgoglioso.

"E io la mia spada!" disse Mally.

"E io mio fratello," aggiunsero i Pinchi all'unisono indicandosi reciprocamente.

La Regina Bianca sorrise, accarezzò il naso del Grafobrancio e guardò affettuosamente il Cappellaio. "Verremo tutti con voi."

XVI

PER RAGGIUGERE L'ALDILÀNDE avevano dovuto attraversare una serie infinita di ghiacciai. Alice, in sella al Grafobrancio, tremava di freddo. Affondò le mani nella pelliccia mentre percorrevano la galleria di una montagna.

Oltre la montagna l'Aldilànde si estendeva una distanza infinita, le cime frastagliate fendevano la linea dell'orizzonte. A eccezione dei campi d'erba ondeggianti, tutto era immobile.

Alice e il Cappellaio incitarono il Grafobrancio a proseguire. Bayard correva al loro fianco trasportando Mally sul dorso.

I Pinchi e il Leprotto Marzolino viaggiavano sopra

una carro, Mirana cavalcava un destriero bianco insieme al Bianconiglio, che sembrava piuttosto nervoso.

Mentre attraversavano le praterie, Alice e gli altri ripassarono il loro piano.

La Regina Rossa teneva prigionieri gli Altocilindro da qualche parte, nel suo castello. Una volta entrati si sarebbero divisi per perlustrare ogni stanza.

E finalmente apparve il castello di Iracebeth.

Aveva la forma di un enorme cuore, pareva intessuto con delle piante di vite ed era circondato da grosse nuvole che minacciavano tempesta. Era un luogo tetro, tenebroso, per un attimo Alice provò pietà per Iracebeth. Pensò che un tempo era stata una bimba buona e indifesa, poi però era diventata una tiranna assetata di potere.

"La mia famiglia si trova laggiù, lo so!" strillò il Cappellaio. Alice annuì, aveva la stessa percezione.

Si fermarono all'entrata del castello che non era sorvegliata.

Alice entrò per prima, diede un'occhiata alla sala principale. Le pareti, lievemente rigonfie, erano fatte di un materiale vegetale spugnoso, colonne di viti attorcigliate sostenevano il soffitto.

Una scalinata composta interamente di radici si snodava dal pavimento e saliva ai piani superiori. L'ambiente era dominato dal colore del legno sangue-di-drago. Ad Alice sembrava di stare dentro un cuore pulsante, soprattutto perché le piante pulsavano davvero.

Il Bianconiglio si strofinò il naso con le zampe e si guardò intorno piuttosto agitato. "È qui che..."

"Dividiamoci!" gridò Mally impaziente.

Gli amici obbedirono e si allontanarono a gruppi.

Alice e il Cappellaio imboccarono un lungo corridoio che terminava davanti a due porte.

Alcune piante si allungarono fino a bloccare l'accesso a quella stanza. Alice e il Bianconiglio furono costretti a deviare il percorso e a imboccare una scalinata. I gradini cigolavano sotto i loro piedi.

Alice si fermò davanti a una porta aperta, aveva sentito un ticchettìo.

Infilò la testa e vide un grande orologio a pendolo nero avvolto da ramificazioni rosse.

"Ne ha uno anche lei!" osservò. "Ecco come riesce ad arrivare al castello di Tempo!"

Ma il Cappellaio non poteva udirla, continuava a salire spedito le scale e aveva già svoltato l'angolo.

Alice si affrettò per raggiungerlo.

Arrivati in cima, trovarono una porta robusta decorata con centinaia di cuori intagliati.

Con una spallata, il Cappellaio la spalancò. "Papà, mamma, c'è qualcuno?" chiamò speranzoso.

Entrarono. Nella stanza si percepiva il tocco di Iracebeth.

Sulle pareti erano appese teste dalle sembianze umane fatte di cavoli, rape e carote.

Gli scaffali erano stipati di barattoli e bottiglie contenenti piante velenose, scorpioni e pozioni fumanti.

Con un tremito, Alice si accorse che sul letto c'era uno scheletro con un copricapo che imitava le orecchie di un somaro. Aveva una benda a forma di cuore su un'orbita. Alice riconobbe Stayne, il fante di Iracebeth, il suo vecchio spasimante.

Le tornò in mente che non appena la Regina Rossa era

stata deposta, Stayne aveva tentato di ucciderla. Il suo era stato un gesto orribile e disperato, non voleva rassegnarsi a vivere in esilio permanente con Iracebeth. Non l'aveva mai amata davvero. E purtroppo non era sopravvissuto.

Alice si guardò intorno. Accatastati in un angolo, vide quelli che sembravano i rottami della macchina di Tempo. Tempo si fidava di Iracebeth? Evidentemente non sapeva che cosa era accaduto al suo ultimo innamorato.

D'un tratto, il Cappellaio si rivolse ad Alice. "Non sono qui," esclamò sconsolato.

Le gambe gli cedettero e si accasciò sul pavimento "Eppure ero sicuro, me lo sentivo."

Alice s'inginocchiò accanto a lui e gli accarezzò il volto. Avrebbero continuato a cercare. Gli Altocilindro dovevano essere per forza lì, da qualche parte.

Il Cappellaio sospirò e alzò lo sguardo.

Vide una teca contenente delle formiche poggiata sopra un tavolino. D'improvviso, al suo interno, le gallerie assunsero la forma di un cappello a cilindro.

Il Cappellaio balzò in piedi e si avvicinò. Gli occhi gli si riempirono di lacrime, ma sorrise.

All'interno della teca c'erano tanti omini minuscoli dalle inconfondibili chiome rosse.

"Papà, mamma!" gridò il Cappellaio con gioia. "Siete voi, piccoli, piccoli, ma siete voi!"

Poi si chinò e baciò il vetro. Ma proprio in quel momento... *CLANG!*

Un pesante graticcio in legno di vite sbarrò con uno scatto una finestra. E poi: *CLANG! CLANG! CLANG!* Altri graticci si chiusero rumorosamente sulle altre finestre.

Alice e il Cappellaio si voltarono verso la porta.

La Regina Rossa fece il suo ingresso con un sorrisetto malvagio. Dietro di lei si schierarono i soldati vegetali.

"Ciao, Alice," salutò Iracebeth in tono beffardo.

Due soldati si fecero avanti, afferrarono Alice e cominciarono a perquisirla.

"Vi sono infinitamente grata," continuò Iracebeth in tono mellifluo. "Mi avete portato la più potente arma di tutto l'universo."

Gli sgherri vegetali strapparono ad Alice la Cronosfera e la consegnarono a Iracebeth. "Insieme alla persona che ritengo responsabile di tutti i miei guai," continuò

Iracebeth mentre altri soldati giungevano dal corridoio scortando la Regina Bianca.

Il volto di Mirana sembrava calmo, ma gli altri prigionieri dietro di lei apparivano molto meno tranquilli. I Pinchi si stringevano l'uno all'altro, Bayard teneva la coda tra le gambe, il Leprotto Marzolino roteava gli occhi, il Bianconiglio digrignava i denti, Mally si dimenava agitando i pugnetti.

Iracebeth sogghignò, si divertiva un mondo.

Il Cappellaio, imperturbabile, stringeva al petto la fattoria di formiche. "Ora ricordo il motivo per cui non mi siete mai piaciuta," disse rivolto alla Regina Rossa.

"È il momento di fare giustizia!" gridò Iracebeth. Poi seguì i suoi soldati che ricondussero i prigionieri verso l'uscita.

Nella stanza rimasero solo il Cappellaio e Alice. Quest'ultima stava per precipitarsi dietro la regina, quando un altro graticcio crollò sul pavimento bloccandole il passaggio. Si aggrappò impotente alle robuste sbarre di legno, mentre Iracebeth si allontanava con un sorrisetto compiaciuto.

Il Cappellaio guardava disperato la fattoria di formiche. Suo padre era salito sopra una piccola duna e lo chiamava. "Tarrant?" la sua voce si udiva appena, attraverso il vetro. "Sei proprio tu? Ho smesso di sperare da così tanto tempo, che ora mi sembra impossibile."

"Non era impossibile, era semplicemente non possibile," gli rispose il Cappellaio con un sorriso.

"Cappellaio!" gridò Alice indicando il graticcio. "Dobbiamo uscire di qui!"

Il Cappellaio guardò Alice, poi la sua famiglia chiusa nella teca e... tirò fuori il cappellino di carta azzurra che si era portato dietro come portafortuna. Gli occhi gli brillavano, aveva avuto un'idea grandiosa.

XVII

ZANIK OSSERVAVA suo figlio con aria preoccupata. Non aveva mai fatto una cosa così pericolosa. Fece scorrere le dita sull'aeroplanino di carta azzurra ancora una volta. Suo figlio lo aveva ricavato dal cappellino, sembrava abbastanza robusto.

Visibilmente impacciato, Zanik ci salì sopra con un salto. Se non altro reggeva, si disse.

Il Cappellaio lo sollevò delicatamente con due dita, e si avvicinò alla finestra.

Una folata di vento investì la torre, il suolo sembrava lontanissimo.

"Sono passato dalla padella nella brace. È pura follia!" gridò Zanik.

"Qualcuno una volta ha detto che la vera saggezza nasce dalla pura follia," sentenziò il Cappellaio.

"E chi l'ha detto? " domandò Zanik sperando in una risposta assennata.

"Io, proprio adesso," rispose il Cappellaio. Poi tirò indietro il braccio e senza pensarci troppo, lanciò l'aeroplanino di carta attraverso i graticci che coprivano le finestre.

"Aaaahhhhhhh!" gridò Zanik mentre l'aereo sfrecciava nell'aria.

Ma dopo un istante, pensò che volare non era poi così male. Così si piegò su un lato per cambiare traiettoria. Fece una giravolta e lanciò un urlo, questa volta per l'emozione.

Poi l'aereo cominciò la sua discesa e atterrò sopra una zolla erbosa. Zanik saltò a terra con agilità. Era fatta!

TUNK! Un'enorme zampa fece tremare il terreno e il sole, già pallido, parve oscurarsi del tutto.

Zanik alzò gli occhi lentamente, una bestia spaventosa incombeva su di lui mostrandogli i denti affilati.

Zanik deglutì, poi si rivolse all'animale che suo figlio

gli aveva garantito essere dalla sua parte. "Buongiorno, signore," disse. "Il mio nome è Zanik Altocilindro. Mi chiedevo se poteste darmi una mano a liberare i miei familiari che sono tenuti prigionieri nel castello. Si tratta di una questione piuttosto urgente."

Il Grafobrancio lo annusò tirando su col naso rumorosamente, poi sfregò una zampa sul suolo e annuì. Sollevato, Zanik si arrampicò sul suo muso e andò ad accomodarsi sulla sua testa gigante, aggrappandosi ai ciuffi di pelo dietro un orecchio.

Con un ringhio, il Grafobrancio si alzò e si girò verso il castello. Zanik si tenne forte e l'animale galoppò a gran velocità fino alla torre più alta.

Non appena udirono i passi pesanti del Grafobrancio che saliva le scale della torre, Alice e il Cappellaio si precipitarono alla porta. La grata che bloccava il passaggio fu scardinata con un solo morso.

Alice accarezzò la guancia del Grafobrancio con gratitudine. Il Cappellaio sollevò Zanik e lo ripose delicatamente accanto agli altri Altocilindro.

"Adesso si tratta solo di farvi diventare un po' più

alti," disse il Cappellaio. Sollevò la leva e mostrò a tutti la torta Tortinsù.

"Tadaaa!" fece il Cappellaio. Poi ne staccò un pezzetto e lo porse a Zanik. "Non esagerate," si raccomandò.

Zanik diede un piccolo morso e così fecero anche gli altri Altocilindro.

Alice raccolse lenzuola e coperte da tutta la stanza, in modo da poter confezionare nuovi abiti per quando sarebbero cresciuti.

In un battibaleno, gli Altocilindro tornarono alle loro dimensioni naturali e ridendo si abbracciarono felici ed esultanti.

Il Cappellaio drizzò la schiena, mentre il padre gli si avvicinava.

"Vedo che non sei cambiato," disse Zanik, osservando il bizzarro abbigliamento del figlio. "Nossignore," sorrise il Cappellaio con sguardo fiero.

Zanik gli rivolse uno sguardo benevolo. "Sono contento," disse infine.

Con le lacrime che gli rigavano il volto, finalmente il Cappellaio sollevò le braccia per stringere il padre.

Ma proprio allora, la stanza tremò. Le braccia del Cappellaio si bloccarono. Alice sentì il suo corpo fermarsi, come se fosse invischiato nel miele.

Subito dopo si udì un rumore sordo e il Cappellaio riabbracciò finalmente il padre. Tutto sembrò tornare alla normalità.

"Cosa è successo?" chiese Zanik guardandosi intorno.

Attraverso delle crepe, sulle pareti e sul pavimento, erano comparse delle chiazze rossastre. Alice ne toccò una e vide che si trattava di una polvere metallica. Era la stessa sostanza che aveva notato sull'orologio di Tempo, quando lo aveva incontrato a Saggezzandia. Sì, era ruggine. Forse anche il Grande Orologio si stava arrugginendo? Forse senza la Cronosfera stava diventando meno potente. Tutto lasciava pensare che il Tempo fosse prossimo alla fine.

"È Tempo! Sta rallentando!" esclamò Alice. "Si fermerà! Ecco perché rivoleva la Cronosfera."

"Un momento," disse il Cappellaio. "Se Tempo finisce... finiremo tutti! Me lo ha detto lui stesso."

Alice si sentì in colpa. A causa sua il mondo stava per scomparire.

"È tutta colpa mia! Sono stata io a rubare la Cronosfera. Avrei dovuto stare attenta, avrei dovuto ascoltare Tempo."

Il Cappellaio le posò le mani sulle spalle obbligandola a guardarlo negli occhi. "Dobbiamo fermare la capocciona," scandì con fermezza.

"E riprenderci la Cronosfera," aggiunse Alice rincuorata.

Il Grafobrancio schioccò la lingua rumorosamente, in segno di approvazione.

Dopo aver dato un'occhiata ai rottami del Tempus Fugit abbandonati in un angolo, Alice si rivolse ai familiari del Cappellaio. "Signori Altocilindro, aiutatemi a raccogliere i pezzi di questa macchina, potremmo averne bisogno."

XVIII

ALICE E IL CAPPELLAIO scesero nel salone principale. Il castello della Regina Rossa era stranamente silenzioso. Tutto era immobile, anche le foglie sulle pareti.

"Dove sono tutti?" chiese Alice con un sussurro.

"Guarda!" disse il Cappellaio indicando oltre una porta che dava sul giardino, dove sembrava fosse stato istituito una specie di tribunale improvvisato.

Al centro del prato, fieri e impettiti, c'erano Mirana e il Bianconiglio.

Una fila di soldati era di guardia ai lati del cortile, un'altra sorvegliava i Pinchi, il Leprotto Marzolino, Bayard e Mally. Sopra una sorta di palco, Iracebeth

saltellava contenta davanti a un trono di rami intrecciati. Lì accanto, Tempo era incatenato a un trono più piccolo e più semplice di quello di Iracebeth. Era stravolto, si premeva una mano sul petto. Iracebeth sembrava non rendersi conto che Tempo stava morendo.

"Siamo arrivati troppo tardi," disse Alice quando vide che le condizioni di Tempo erano molto critiche.

Il Cappellaio le afferrò una mano e la strinse. "Dobbiamo sbrigarci, invece!" Non potevano mollare proprio adesso.

"Mirana di Marmorea!" proclamò Iracebeth con voce stentorea. "Sei accusata di alto tradimento ed è per questo che ti condanno..."

"Un momento!" interruppe il Bianconiglio. "Di che verdetto si tratta?"

"Prima la sentenza e poi il verdetto," sbuffò Iracebeth. Riprese fiato e continuò. "Sarai esiliata nelle Aldilànde, nessuno potrà mai più dimostrarti gentilezza o rivolgerti la parola. Non avrai un solo amico al mondo."

Mirana, stupita, cercava di sostenere lo sguardo di sfida di sua sorella.

"Hai mentito. Hai rubato. Tu non sei la legittima regina del Sottomondo," aggiunse Iracebeth.

D'improvviso il Bianconiglio si fece avanti. "Obiezione! Dove sono le prove?"

"Non ho bisogno di prove," sbraitò Iracebeth. "Ho di meglio. Avrò una confessione!"

Alzò una mano e mostrò a tutti la Cronosfera, le fasce metalliche che l'avvolgevano brillavano vivaci; Iracebeth la gettò a terra e la sfera cominciò a ingrandirsi. In un attimo era pronta per viaggiare nel tempo.

In un lampo, Alice comprese il folle piano di Iracebeth.

"Ferma! Ferma!" proruppe saltando fuori dal nulla.

Tutti si voltarono a guardarla. "Non si può cambiare il passato, Vostra Maestà!" gridò. "Credetemi, io ci ho provato!"

Iracebeth la squadrò rabbiosa. Era convinta che Alice volesse solo proteggere Mirana, ma niente le avrebbe impedito di vendicarsi della sorella.

E prima che qualcuno potesse fermarla, Iracebeth entrò nella Cronosfera trascinandosi dietro Mirana.

Alice e il Cappellaio tentarono di fermarla ma non riuscirono a raggiungerla in tempo.

La Cronosfera si alzò in volo e in breve divenne un puntino dorato che sparì dietro le nuvole.

Alice era sconvolta. "Dobbiamo fare qualcosa!" gridò voltandosi.

Purtroppo, gli unici a rispondere al suo richiamo furono i soldati vegetali, che però si diressero con le loro lance contro Alice e il Cappellaio.

Con un ruggito il Grafobrancio, con gli Altocilindro a cavalcioni, balzò tra i soldati, che si dispersero in un fuggi fuggi generale.

Alice e il Cappellaio salirono sul palco e corsero da Tempo. Era riverso su un fianco, la ruggine si era diffusa su tutto il corpo.

"Vi prego, diteci come possiamo tornare indietro nel tempo," gli chiese Alice mentre il Cappellaio lo liberava dalle catene. "Iracebeth sta per cambiare il passato!"

Tempo sembrava assente, gettò solo un debole sguardo sul prato, dove Zanik e gli altri Altocilindro avevano sparso i pezzi del Tempus Fugit.

"Ho permesso ai miei sentimenti di distrarmi dai miei compiti," disse Tempo roso dai rimorsi. "Non ho saputo onorare la mia professione, mi vergogno di me stesso," sospirò amareggiato.

"Andiamo, vecchio mio", ribatté il Cappellaio. "Non angustiatevi."

Tempo scosse la testa. "Sono troppo debole," ansimò.

"No, non lo siete," lo incoraggiò Alice con un colpetto sulla spalla. "Siete Tempo, l'Infinito..."

"L'Immortale!" strillò il Cappellaio.

"Sto cominciando a chiedermi se l'ultima parola che avete detto sia vera," mormorò Tempo.

"E inoltre..." continuò il Cappellaio ignorando le sue proteste, "... voi siete l'unico in grado di ricostruire quella cosa," concluse indicando gli ingranaggi e le sbarre sull'erba come tasselli di un puzzle.

Finalmente nello sguardo di Tempo si accese una scintilla. In fondo, era nella sua natura andare avanti, sempre e comunque! Dopo aver rivolto un sorriso ad Alice e al Cappellaio, si trascinò verso i resti della sua macchina e iniziò a rimontarli.

In pochi ticchettii – forse qualcuno di più rispetto alla prima volta – il Tempus Fugit fu pronto a partire.

Senza più attendere, Tempo, il Cappellaio e Alice salirono a bordo e iniziarono le manovre di decollo. Tutti gli amici si avvicinarono per augurare loro buona fortuna e in un attimo la macchina scomparve all'orizzonte.

Alice guardò fuori bordo. L'Oceano del Tempo cominciò a ondeggiare sotto di loro e diversi momenti del passato spumeggiarono sulla superficie.

Vide il Cappellaio accanto all'albero magico che aveva appena ritrovato il cappellino di carta azzurra e lo fissava stupito.

Poco dopo vide se stessa combattere con il Ciciarampa. Ripensando a quel giorno provò una strana emozione, un misto di terrore e orgoglio.

Poi scorse un'immagine del Cappellaio che correva, saltava e faceva dispetti a Tempo mentre gli serviva del tè. Non immaginava che il suo amico avesse intrattenuto Tempo per evitare che la raggiungesse. Il cuore le si riempì di gratitudine.

Capitolo Diciotto

Quante peripezie avevano affrontato insieme, lei e il Cappellaio!

Anche Tempo guardava l'oceano e, all'improvviso, notò qualcosa che lo preoccupò molto. Ogni giornata pareva ammantarsi di una coltre bruno rossastra. La ruggine si stava diffondendo, dovevano sbrigarsi.

XIX

In volo sopra l'oceano degli eventi passati, il Cappellaio stava di vedetta come sulla prua di una nave. "Eccole laggiù, presto!" strillò d'un tratto.

Il Tempus Fugit faticava a prendere velocità, Alice, il Cappellaio e Tempo si diedero un gran daffare tra pompe, leve e carrucole, e finalmente si avvicinarono alla Cronosfera.

Tra le sue fasce rotanti si potevano distinguere chiaramente le due sorelle.

Mirana era pallida, guardava Iracebeth con timore. Quest'ultima teneva gli occhi fissi verso il basso. La lingua le sporgeva da un angolo della bocca, come quella di un gatto che ha messo un topo in un angolo.

Iracebeth tirò il comando del freno e la Cronosfera s'immerse in un giorno del passato, gelido e grigio. Poco dopo, comparve Saggezzandia, le finestre delle case erano illuminate, gli abitanti avevano acceso le lanterne.

La Cronosfera cominciò la sua discesa e andò a infilarsi in uno degli ingressi del castello fino a fermarsi in un tetro corridoio. Dalle pareti colavano grosse chiazze di ruggine che ricoprivano il pavimento, ma Iracebeth non ci fece caso. Aveva solo un obiettivo.

Fece scendere la sorella con uno strattone e la Cronosfera cominciò a rimpicciolirsi fino diventare una pallina.

"Dove siamo?" chiese Mirana.

"Lo sai dove siamo," rispose Iracebeth minacciosa.

Mirana si guardò attorno e capì: si trovavano fuori dalla stanza di quando erano piccole. E comprese che la sorella voleva farle rivivere un momento ben preciso. Vacillò quando Iracebeth scostò la porta.

La voce della Regina Elsmere risuonò dalla stanza. "Cosa ci fanno quelle briciole sotto il tuo letto?"

"È stata lei!" gridava la piccola Iracebeth.

"Sei stata tu?" chiedeva Elsmere a Mirana.

In corridoio, l'Iracebeth del presente si avvicinò alla sorella. "Sei stata tu?" bisbigliò in tono accusatorio.

Dall'interno della camera giungeva la voce della piccola Iracebeth che incalzava Mirana. "Sì, l'hai fatto, dillo!"

"Di' la verità, Mirana," la esortava la Regina Elsmere. "Hai preso tu le ultime crostatine e poi sei venuta a mangiarle qui?"

Dal corridoio, le sorelle adulte iniziarono ad agitarsi; sapevano che cosa sarebbe successo dopo. Il viso di Iracebeth si fece rosso di rabbia, lo sguardo di Mirana si riempì di rammarico.

BANG! Alice, il Cappellaio e Tempo atterrarono rumorosamente in corridoio.

Le Regine sobbalzarono spaventate, ma Iracebeth non si fece intimorire e trascinò Mirana verso la loro stanza: doveva assistere alla scena fino al momento in cui aveva mentito. Iracebeth l'avrebbe obbligata a dire la verità e finalmente avrebbe risistemato il passato.

"No," mormorava dalla stanza la piccola Mirana.

DONG!

Il primo rintocco dell'orologio della torre di Saggezzandia risuonò nel freddo vento invernale. Alice raccolse da terra la Cronosfera e insieme a Tempo e al Cappellaio raggiunse le due regine.

Iracebeth ripensava a tutti gli anni in cui si era sentita tradita, sola e arrabbiata. Non riusciva a sopportare che sua sorella mentisse ancora una volta.

Così corse alla porta, pronta ad aprirla.

"Iracebeth, aspetta!" gridò Mirana. "Io... io ho mentito."

La Regina Rossa fu colta di sorpresa.

"Ancora oggi detesto le crostate," continuò Mirana. I suoi occhi nocciola si colmarono di lacrime. "Se fin da subito avessi detto la verità, niente di tutto questo sarebbe mai accaduto. Mi dispiace così tanto."

Alice e gli altri si bloccarono, colpiti.

"Perdonami, ti prego. Se puoi..." concluse Mirana.

Iracebeth d'improvviso si ricordò di quando erano inseparabili. Si divertivano a giocare a campana. Oppure giocavano sulla spiaggia, come quella volta in cui avevano costruito un gigantesco castello di sabbia rosa, con quattro torri e poi, mano nella mano, erano andate a cercare le conchiglie più belle per decorarlo.

Iracebeth non avrebbe voluto tornare a casa, quel giorno. Il sole brillava, e la brezza dell'oceano era fresca e dolce. C'era persino la musica di una quadriglia di aragoste a rallegrare l'atmosfera...

Qualche volta, la sera, si raggomitolavano vicine, per leggere insieme. C'era un divanetto tanto comodo accanto alla finestra, ci avevano passato ore immerse nella storia di un leone e un unicorno. Iracebeth aspettava sempre pazientemente che Mirana – la più lenta delle due a leggere – raggiungesse la fine della pagina prima di voltarla. I capelli di Iracebeth, più ribelli di quelli di Mirana, spesso le ricadevano sugli occhi e Mirana glieli sistemava delicatamente dietro le orecchie.

Iracebeth sentì una lacrima scorrerle lungo il viso. "È quello che avrei sempre voluto sentire," disse tirando su col naso.

Vinte dall'emozione, Mirana e Iracebeth si gettarono l'una nelle braccia dell'altra. Per la prima volta, dopo tanti anni, Iracebeth si sentì scaldare il cuore.

CLACK!

La porta della stanza si spalancò. L'Iracebeth bimba corse fuori e finì contro le gonne di Mirana e Iracebeth, poi ricadde all'indietro.

"Oh, cielo," disse l'Iracebeth adulta.

La piccola guardò se stessa da grande, con quel grosso testone. Rimase sorpresa e per un attimo non seppe che fare, poi urlò e urlò, fino a che...

PUF!

Entrambe le Iracebeth s'immobilizzarono, come pietrificate. Su di loro si formò una polvere metallica rossastra.

"Iracebeth!" strillò Mirana.

Come un fuoco d'artificio, la ruggine esplose in aria, strisciò lungo il tappeto e raggiunse Elsmere e Mirana bimba, fino a quando, anche loro, non divennero statue.

La ruggine continuò ad avanzare, corrodendo tutto ciò che toccava.

"Oh, questo non è bello," borbottò il Cappellaio.

"Iracebeth ha distrutto il passato, dobbiamo correre

dal Grande Orologio prima che si fermi per sempre!" urlò Tempo.

In effetti, il Grande Orologio non se la stava passando tanto bene. Wilkins era parecchio corrucciato mentre insieme ai Secondi muoveva e ingrassava gli ingranaggi.

"Forza amici, forza! Continuiamo," implorava Wilkins con voce disperata. Si guardava attorno, sgomento.

La ruggine era ovunque, faceva girare le ruote più lentamente e sbilanciava i delicati meccanismi.

I Secondi erano sempre più affaticati, iniziavano a rallentare. Wilkins sapeva che non ce l'avrebbero fatta. Ma dov'era finito Tempo?

Tempo se ne stava curvo nella Cronosfera, debolissimo. Alice era preoccupata, ma guidò con sicurezza la Cronosfera fuori dal Castello di Saggezzandia e poi più su, nel cielo nevoso.

Sotto di loro, un cerchio di ruggine si allargò intorno al castello formando un'onda che copriva le strade come un tappeto, tingeva gli edifici di rosso e immobilizzava la gente e gli animali.

DON...

Il rintocco dell'orologio della piazza si fermò all'improvviso, la ruggine stava ricoprendo la torre.

Anche i fiocchi di neve si solidificarono a mezz'aria, i bianchi cristalli divennero puntini color rosso-bruno.

Il Cappellaio era a bocca aperta. "Non capisco ancora perché ci siamo dovuti portare dietro quella..." disse ad Alice sottovoce.

Si riferiva alla statua coperta di ruggine distesa sul fondo della Cronosfera che occupava la maggior parte dello spazio. Mirana piangeva in silenzio, cullava la testa di Iracebeth appoggiata sul suo grembo.

Il Cappellaio non riusciva a provare compassione per la Regina Rossa.

Alice gli diede un colpetto sulla spalla. Sapeva come potesse essere difficile perdonare, aveva scoperto che nessuno era del tutto buono o del tutto cattivo. Iracebeth aveva avuto la sua dose di dolore; solo non aveva saputo come farvi fronte.

Alice fece ruotare la Cronosfera verso il presente. Ma un'altra onda preoccupante si era formata nell'oceano, sotto di loro. Come una schiera di soldatini giocattolo che cadono uno dopo l'altro, i giorni iniziarono a scricchiolare e a cadere colpiti dalla ruggine.

"Sta avanzando!" strillò agitato il Cappellaio.

Con la coda dell'occhio, Alice vide la ruggine muoversi rapidamente verso di loro. Serrò le mascelle e strattonò una catena, spronando la Cronosfera ad andare più veloce. *Coraggio!* diceva tra sé.

Volavano sempre più rapidi. I giorni già vissuti sfilavano in un lampo dietro di loro, ma la ruggine incombeva e, senza pietà, distruggeva le scene del loro passato. Finalmente Alice giunse al presente, sopra il castello di Iracebeth.

Gli Altocilindro e tutti gli amici scorsero la Cronosfera che si avvicinava.

"Sapevo che quel matto del mio ragazzo ce l'avrebbe fatta a..." Zanik non riuscì a terminare ciò che stava dicendo, un'ondata di ruggine lo travolse e rimase pietrificato con la bocca aperta.

La stessa sorte toccò a Bayard, il Bianconiglio, Mally e il Leprotto Marzolino.

I Pinchi per un attimo resistettero, coprendosi l'un con l'altro, ma poi dovettero arrendersi a quell'onda rosso bruna.

Quando vide la sua famiglia e gli amici ridotti in quello stato, il Cappellaio spalancò gli occhi terrorizzato. "Presto, Alice, atterriamo!"

Alice si appoggiò con tutto il suo peso alla leva del freno e la Cronosfera planò direttamente dentro il castello, frenando lungo un corridoio.

Dalle pareti si staccarono le foglie e le radici ormai diventate pesanti frammenti metallici, il soffitto cominciò a sgretolarsi. Le porte del castello si spalancarono e all'interno si riversò un'ondata di ruggine liquida, che schizzò contro un muro e si divise a metà. Le due onde piombarono sulla Cronosfera proprio mentre Alice la conduceva su per la scalinata principale.

Si udì uno stridore e un'intera sezione del soffitto crollò proprio nel punto in cui era appena passata la Cronosfera creando uno squarcio enorme.

Tempo sospirò guardando quel cratere: il cielo era diventato una cascata rosso bruna che si rovesciava al suolo. Alice tirò una leva e deviò in una stanza vicino alla tromba delle scale.

Era la stanza in cui si trovava l'orologio a pendolo nero di Iracebeth. Le due onde di ruggine corsero lungo le pareti che stavano per inghiottirlo. Il Cappellaio pensò che sarebbe andata a finire male per tutti.

"Siamo stati bene insieme, Alice," disse con un sorriso amaro.

Alice lo ignorò, stava valutando la situazione. Senza preavviso, tirò il freno e fece ruotare la Cronosfera su se stessa. Mentre si fermava, le due onde si scontrarono proprio di fronte all'orologio e indietreggiarono. La forza dell'impatto le aveva fatte rimbalzare in direzioni opposte.

Alice non si lasciò sfuggire l'occasione, mollò il freno e spinse in avanti la Cronosfera, proprio verso l'orologio.

BUUM!

L'orologio esplose e la Cronosfera lo attraversò precipitando in uno spazio buio e profondo. La ruggine cominciò a riversarsi nello squarcio che si era creato.

In lontananza, Alice individuò il castello di Tempo e cercò di accelerare.

Ci siamo quasi, pensò. Mirò a una vetrata colorata e dopo averla infranta atterrò sul pavimento della camera del Grande Orologio. Urtò contro un pilastro e, finalmente, si fermò.

La Cronosfera li sputò fuori tutti, forse non poteva più sopportare di avere dei passeggeri a bordo.

Tempo uscì di corsa e la statua di Iracebeth cadde a terra, con un suono metallico.

Alice si rimise in piedi a fatica e afferrò la Cronosfera che si stava rimpicciolendo.

Senza attendere oltre, volò al centro del Grande Orologio seguita dagli amici.

Alle loro spalle scie di ruggine liquida si insinuavano da ogni lato della camera, dirigendosi verso il Grande Orologio.

Alice e Tempo erano in testa, il Cappellaio e Mirana seguivano a ruota cercando di evitare le strane escrescenze che emergevano dal pavimento: erano i Secondi, i Minuti e le Ore che si dibattevano sotto la ruggine.

Passarono accanto anche a Wilkins, il cui corpo quasi pietrificato, giaceva a terra. "Abbiamo fatto del nostro meglio, signore," disse a Tempo che si stava avvicinando.

Tempo gli fece un cenno con la mano, ma continuò a correre. Adesso le scie di ruggine li avevano quasi raggiunti. Mirana cadde per prima e Wilkins fu travolto definitivamente.

La ruggine bloccò le gambe del Cappellaio. "Alice!" chiamò.

Ma Alice non volle fermarsi, non poteva, tutto dipendeva da lei.

Saltò nel Grande Orologio i cui meccanismi si muovevano a stento. Gli ingranaggi erano quasi fermi e i martelli salivano e scendevano a ritmo debolissimo.

Pochi passi dietro di lei, Tempo urlò: un'ondata di ruggine lo aveva raggiunto. Cadde in ginocchio.

Era la fine di Tempo.

E il Grande Orologio smise di funzionare.

Alice continuò a correre verso il centro del meccanismo, ma percepì qualcosa intorno alle caviglie: era polvere metallica che in un attimo le salì su per le gambe e poi le bloccò la vita. Lei allungò le braccia, ma la ruggine ricoprì anche quelle. Si diede una spinta, con la punta delle dita riuscì a rimettere la Cronosfera al suo posto e poi... anche Alice divenne una statua.

Sotto un'infinita coltre di ruggine.

Non si udiva né un soffio, né un battito di ciglia.

Senza Tempo, il mondo non esisteva più.

XX

UNA CALMA INQUIETANTE regnava nella Camera del Grande Orologio. Poi...

TIC.

TAC.

TIC.

TAC TIC TAC.

TIC TAC.

La Cronosfera brillò sotto lo strato di ruggine, come una lanterna coperta da un panno di stoffa. Aveva ripreso vita. Il Grande Orologio ripartì. Non appena gli ingranaggi si misero in moto, la ruggine si sbriciolò e si dissolse.

Le dita di Alice passarono dal rosso ruggine al rosato. Lentamente il colorito naturale si propagò su tutto il corpo e Alice tornò a muoversi. Riprese fiato e si guardò intorno. Ce l'aveva fatta? Era riuscita a ripristinare Tempo?

Tempo tossì, non c'era più ruggine sul suo corpo. Wilkins, i Secondi, i Minuti e le Ore si dimenarono e tornarono a muoversi come sempre.

Alice si diresse verso Tempo. "State bene?" gli chiese.

Sembrava disorientato. Si sedette e guardò Alice negli occhi con gratitudine, si controllò il cuore. Inclinò la testa e si mise in ascolto, voleva cogliere ogni battito, ogni ticchettìo.

Alice si allontanò per cercare i suoi amici. Vide Mirana e Iracebeth riprendere vita. Mirana corse subito dalla sorella.

"Potrai mai perdonarmi, Iracebeth?" domandò la Regina Bianca.

Iracebeth la studiò con le labbra contratte. "Ti perdono," disse infine con una nota di stupore nella voce. "Ti perdono!" ripeté felice. Le due sorelle si sorrisero e si abbracciarono.

Poco dopo si udì uno scalpiccìo provenire dall'ingresso. Zanik entrò nella stanza, seguito dagli altri Altocilindro; poi spuntarono Bayard con il Ghiro in groppa, il Bianconiglio, il Leprotto Marzolino e i Pinchi.

"Tarrant!" chiamò Zanik a gran voce.

Il Cappellaio si voltò. "Papà!" rispose correndo incontro al padre. Lo abbracciò stretto. "Per quanto tempo ho pensato fossi... ma non lo eri... e credevo non potessi venire a trovarmi perché eri... e hai anche conservato il cappellino..." Il Cappellaio era troppo emozionato per riuscire a terminare una frase.

"Certo che l'ho conservato!" disse Zanik. "Me l'hai regalato tu! Ma il regalo più grande è il tempo che abbiamo per noi. Ti prometto che non sprecherò un secondo di più." Fece un passo indietro e posò le mani sulle spalle del figlio. "Abbiamo molto da recuperare," continuò.

"Sono diventato un cappellaio," dichiarò orgoglioso il Cappellaio.

Gli occhi di Zanik si riempirono di lacrime. "Voglio vedere le tue creazioni, tutte!" disse con la voce strozzata. "Voglio vedere tutti i cappelli che hai fatto con le tue mani."

"Li vedrai," ribatté il Cappellaio quando Zanik lo strinse in un nuovo abbraccio.

In un altro punto della camera, anche i Pinchi si stavano abbracciando.

"Non litigheremo mai più," disse Pinco Panco.

"Abbiamo mai litigato?" chiese sconcertato Panco Pinco.

"No, e quindi, perché iniziare adesso?" rispose Pinco Panco.

Alice fissava quei gruppetti di amici finalmente riuniti. Sembravano tutti così felici, le loro liti – grandi e piccole – erano ormai soltanto un ricordo. Con una fitta al cuore, pensò a sua madre e desiderò di poterla stringere a sé. Il mondo aveva rischiato di finire e loro due avevano ancora molte cose da chiarire.

Tempo le si avvicinò, Alice era sicura che fosse in collera con lei. Abbassò la testa pronta a ricevere i rimproveri che meritava.

Tempo sembrò leggerle nel pensiero e le posò delicatamente una mano sulla spalla. "Tutto ciò che facciamo per gli altri è degno di essere fatto," commentò lui.

Alice alzò timidamente lo sguardo. "Vi devo delle scuse, mi avevate avvertito, ma non ho voluto ascoltarvi."

"Non preoccupatevi, mia cara," disse strizzandole l'occhio. "Io guarisco tutte le ferite."

Alice sorrise. "Sapete," disse. "Sono sempre stata convinta che foste un ladro e che vi divertiste a portarmi via coloro che amavo. Ma voi date, prima di togliere. E ogni giorno, ogni ora, ogni minuto, ogni secondo in più, è un regalo."

Si frugò in tasca e tirò fuori l'orologio rotto di suo padre. Lo strofinò con la punta del dito per un'ultima volta e lo consegnò a Tempo.

"Ah, il soldato caduto," commentò Tempo. "Suppongo vogliate che lo aggiusti," dichiarò sollevando sopracciglio.

"No, voglio solo che lo conserviate."

Tempo la guardò incredulo. Nessuno gli aveva mai regalato niente. Guardò ripetutamente Alice e l'orologio. "Avete detto che era di vostro padre, " disse sorpreso.

"Sì era di mio padre, ma non è mio padre." Alice indicò con lo sguardò i suoi amici felici che si abbracciavano.

Pensò che fosse importante passare del tempo con chi si ama. "Mi sono sempre aggrappata alle cose sbagliate," concluse.

Tempo diede ancora un'occhiata all'orologio da tasca, poi agitò una mano in aria.

TIC, *TIC*, *TIC* batté il piccolo orologio.

Tempo se lo infilò delicatamente nel taschino del panciotto. "Mia cara ragazza," commentò. "Dicono che nessun uomo mi sia amico, ma io mi ricorderò di voi per sempre." Poi fece un cenno con la mano. Era il suo addio. Raggiunse Wilkins e i Secondi che si erano avvicinati al Grande Orologio. Impazienti di trovarsi nuovamente sotto la sua guida, le unità di misura di Tempo gli si radunarono intorno.

Alice sentì qualcuno prenderle la mano, era il Cappellaio, con il volto raggiante. "Vieni," la invitò lui. "Devi incontrare la mia famiglia, ti piacerà." E accennò qualche passetto di Deliranza.

Alice gli sorrise malinconica, la sua mente era altrove. A Londra, sua madre aveva bisogno di lei.

Il Cappellaio notò lo sguardo triste dell'amica e si

fece serio. "Oh, mi stavo quasi dimenticando che anche tu hai una famiglia," osservò.

Alice annuì. Il Cappellaio si guardò intorno. Mirana e Iracebeth parlavano tra loro. I Pinchi, l'uno accanto all'altro, studiavano il ticchettìo dei Secondi. Gli Altocilindro scalpitavano nell'attesa di riunirsi al Cappellaio.

"Che cosa importante, la famiglia," continuò il Cappellaio. "Ce n'è una sola."

Ad Alice tremarono le labbra. "Cappellaio, devo tornare a casa," ammise.

"Non ti vedrò per l'ora del tè, vero?" domandò lui con un tenero sorriso.

"Non penso..." rispose Alice buttandogli le braccia al collo, mentre qualche lacrima le rigava il volto.

"Non preoccuparti, Alice," commentò lui, poi le diede un colpetto sulla spalla.

"Ci incontreremo nel palazzo dei sogni, e laggiù continueremo a ridere e a giocare per tutta la vita."

Alice fece un passo indietro per guardarlo meglio. "Ma il sogno non è la realtà," osservò.

Il Cappellaio le prese le mani.

"E chi ha stabilito cos'è l'uno e cos'è l'altra?" disse strizzando un occhio.

Alice sorrise, era felice di aver restituito il Cappellaio a se stesso, ma era triste di dover lasciare il Sottomondo. Le sarebbero mancati entrambi, di nuovo e... per sempre.

XXI

LA BIBLIOTECA degli Ascot di solito era accogliente, ma Helen Kingsleigh, seduta all'ampio tavolo di quercia, aveva i brividi. Lady Ascot le lanciò uno sguardo di commiserazione che però Helen non colse. Era intenta a fissare i due uomini seduti di fronte a lei.

Hamish tamburellava le dita mentre osservava James, il suo impiegato, che sfogliava lentamente alcune scartoffie e scuoteva la testa, come se mancasse qualcosa. Infatti, poco dopo impilò i fogli e ricominciò tutto daccapo.

Alexandra, anche lei seduta al tavolo, era intenta a togliersi dei pelucchi invisibili dal vestito. Tossicchiò per catturare l'attenzione di suo marito.

Hamish se ne accorse e si girò di nuovo verso James con aria infastidita, poi si rivolse ad Helen.

"In definitiva, stiamo agendo nell'interesse di Alice, Signora Kingsleigh," disse Hamish. La sua voce era viscida come la sua pelle. "Sempre che ritorni..."

"Tornerà," lo interruppe Helen. Per nessun motivo avrebbe mai perso le speranze.

"Esatto mia cara, esatto," ribadì Lady Ascot accarezzandole il braccio.

"Dovete soltanto firmare gli atti riguardanti il vascello," dichiarò Hamish indicando le carte che James continuava a sfogliare.

Helen sospirò e impugnò la penna che Hamish le offriva.

Tuttavia James, continuava a fissare quei documenti, come se il tempo si fosse fermato.

"Vi prego, Signor Harcourt," lo incalzò Hamish. "Il tempo è denaro!"

L'impiegato porse i documenti a Helen, proprio nello stesso istante in cui si udì una voce inattesa.

"Credo, invece, che non lo sia!"

Tutti si girarono di scatto e videro Alice avvicinarsi con sicurezza.

"Il tempo è molte cose, ma non è denaro, Hamish, né nostro nemico, mamma." Alice rivolse un cenno di saluto a ciascuno dei presenti. "Il tempo è reale e dobbiamo tenerne conto, se vogliamo sfruttare in modo saggio i giorni che ci offre..."

Quando Alice le si accostò, Helen lasciò cadere la penna.

"... insieme a coloro che amiamo di più," concluse Alice stringendo le mani di sua madre.

Hamish strabuzzò gli occhi. "Da dove sei spuntata?" domandò ad Alice, dimenticando l'etichetta.

"Sono passata attraverso i muri," rispose lei, con un sorrisetto furbo. "*PUF!*" esclamò schioccandogli le dita davanti al naso.

Hamish fece un balzo all'indietro, la sua sedia scricchiolò.

James soffocò una risatina.

"Non sarò capace di cambiare il passato ma oserei dire che è proprio dal passato che si può imparare qualcosa."

Alice guardò Helen. "Firma i documenti, mamma" disse con fermezza.

"Tu... vuoi che io li firmi?" chiese Helen con aria smarrita.

Alice annuì e le consegnò la penna.

"Ma che ne è stato dei tuoi sogni?" domandò Helen.

Alice scosse la testa. "Il Wonder è solo un vascello. Ci sarà sempre un altro vascello, da qualche parte, pronto ad attendermi."

"Ma la tua felicità è la cosa più importante per me." Alice strinse piano la spalla della madre. "Di mamma ce n'è una sola, e tu sei la mia."

Helen e Alice si sorrisero con gli occhi pieni d'amore.

Hamish si schiarì la voce, sentiva il bisogno d'intervenire.

"Quindi, avete deciso di diventare un'impiegata?" chiese ad Alice in tono borioso e formale. Poi si girò verso Lady Ascot senza aspettare una risposta. "Ha deciso di lavorare in ufficio, sapevo che avrebbe ceduto," concluse compiaciuto.

"Non sei un uomo gentile, Hamish," disse Helen

incollerita. "Sono felice che mia figlia non abbia voluto sposarti."

Hamish indietreggiò, piccato. Alexandra sussultò.

Helen si alzò in piedi e alzò il mento con fierezza. "Sarà Alice a decidere cosa vuole fare!" disse. "E lo stesso vale per me!"

Helen e Alice abbandonarono la biblioteca a testa alta, tenendosi a braccetto. Gli Ascot rimasero a fissarle con espressione inebetita.

Qualche Tempo Dopo

Alice era chinata alla sua scrivania, annotava qualcosa su un libro contabile. Alle sue spalle c'era un mobile diviso a scomparti che contenevano diversi campioni di seta. La porta di fronte a lei si aprì ed entrò James, in mano reggeva un cronometro marittimo.

Alice annuì e iniziò a rovistarsi nelle tasche.

"Ecco a voi signorina," disse James, porgendole anche il proprio orologio da taschino.

Alice sorrise, prese i due oggetti e li avvolse entrambi in un panno.

"Perfetto!" esclamò. Poi chiuse il libro contabile e si diresse alla porta schivando degli enormi vasi cinesi.

James la seguì fino al pontile affollato che si affacciava sul porto di Hong Kong, l'acqua scintillava alla luce del sole e barche di tutti i tipi oscillavano tra le onde leggere.

Alice fece un respiro profondo, l'aria salmastra la mise ancor più di buon umore.

Si girò a guardare due uomini che attaccavano

un'insegna al portone del palazzo da cui era appena uscita. Nonostante avesse già visto quell'insegna, le parole che lesse le fecero venire la pelle d'oca.

COMPAGNIA DI NAVIGAZIONE
KINGSLEIGH & KINGSLEIGH

"Il carico è a bordo!" disse James affiancandola. "Oggi ci sarà il viaggio inaugurale della stimata compagnia KINGSLEIGH & KINGSLEIGH?" domandò.

"Meglio chiedere al commodoro," rispose Alice.

I due si fecero largo sul molo gremito fino a che non trovarono il commodoro: stava osservando la marea.

"Commodoro, secondo voi, è ora di prendere il largo?" chiese James, con gentilezza.

Con un sorriso, Helen Kingsleigh si voltò. "Il tempo e la marea non aspettano nessuno," rispose gioiosamente. Era abbronzata e per la prima volta non indossava un corsetto.

"Specie se si tratta di una donna," aggiunse Alice.

Alice si diresse sulla plancia del Wonder, con sua madre e il suo amico al suo seguito.

"Capitano a bordo!" grido James all'equipaggio. "Ammainate le vele, ragazzi!"

Quando il nostromo ebbe condotto il Wonder fuori dal porto oltrepassando una flotta di navi, Alice e sua madre volsero lo sguardo all'orizzonte.

Alice si sporse oltre il ponte. Poco distante fluttuava lenta un'imbarcazione reale proveniente dall'India, aveva vele dorate e scarlatte.

A poppa, c'era un principe indiano che indossava pantaloni immacolati e una tunica rossa ricamata. Sedeva a gambe incrociate su una pila di cuscini, versando una bevanda nel bicchiere della sua compagna, la zia Imogene!

"Mi dispiace di essere arrivato in ritardo," diceva il principe.

"Non preoccuparti, mio caro," replicò zia Imogene. "Ho sempre saputo che saresti arrivato."

Con il vento che le scompigliava i capelli, Alice rise di cuore. Salutò sua zia con un cenno della mano, poi prese posto davanti al timone. Appese di fronte a sé il cronometro marittimo e l'orologio di James. Fu felice di sentire il ticchettìo della lancetta dei secondi.

Capitolo Ventuno

Non avrebbe mai più dato per scontato lo scorrere del tempo, aveva intenzione di assaporare ogni minuto.

Pose le mani sul timone e portò il Wonder al largo. Era pronta per la prossima avventura. Solo il tempo avrebbe potuto rivelarle che cosa le riservava il Futuro. E lei non vedeva l'ora di scoprirlo.

FINE

INDICE